W0014744

Gebrauchsanweisung
für Sylt

Silke von Bremen

Gebrauchsanweisung für Sylt

Piper München Zürich

Mehr über unsere Autoren und Bücher:
www.piper.de

ISBN 978-3-492-27600-9
7. Auflage 2013

Karte: cartomedia, Karlsruhe
Satz: le-tex publishing services GmbH, Leipzig
FSC-Papier: Munken Premium von Arctic Paper Munkedals AB, Schweden
Druck und Bindung: CPI – Clausen & Bosse, Leck
Printed in Germany

Inhalt

Die schönen Inselorte

Rüm Hart, klaar Kimming

Vorwort

Dieses Buch soll ein kleiner Beitrag dazu sein, die Insel und ihre Bewohner besser zu verstehen und ein paar Vorurteile abzubauen, denn Sylt ist mehr als Schicki-Micki, Düneneinsamkeit und weiter Strand. Eines allerdings muss ich gleich vorweg mitteilen: Sie werden nicht lesen, wo es die besten Fischbrötchen gibt, wer die günstigste Unterkunft vermittelt oder wo welcher Promi protzt, prügelt und Party macht. Dafür werden Sie erfahren, warum Kampen nicht wie Keitum ist, welche Folgen die rasante Entwicklung des Fremdenverkehrs hat und warum schätzungsweise jeder zweite Mensch, den Sie auf der Insel treffen, gerne ein Sylter wäre.

Und dass es ein Geschenk ist, hier leben zu dürfen.

Es war ein sehr kalter Wintertag in den 1980ern.

Aber frisch verliebt ist der Mensch für Temperaturen ja höchst unempfindlich, und so wurde die Idee, nach Sylt und ans Meer zu fahren, von mir in jugendlicher Torheit begeistert aufgenommen.

Sylt? Das kannte ich nur vom Hörensagen, aber die Heimat meines Liebsten kennenlernen zu dürfen erschien mir höchst romantisch.

Der Strand war ein einziges glitzerndes Eismeer, hoch aufgetürmte Eisschollen versetzten mich in Verzückung. Erst viele Jahre später sollte ich begreifen, dass das ein Ausnahmewinter war und kein alltägliches winterliches Schauspiel.

Wir wanderten langsam nordwärts. Dann passierte es. Meine erste feste Sylt-Erinnerung: Vier krebsrote, pudelnackte Menschen sprangen vor mir aus den Dünen, rannten barfuß über den gefrorenen Strand und sprangen in ein arktisches Wasserloch, das zwischen Sandbank und Strand eisfrei geblieben war.

Ich war fassungslos. Hätte ich mich damals schon in der Sylt-Literatur ausgekannt, wären mir Zitate wie »Sylt dünkte uns eine Insel der Verrückten« bekannt gewesen, und ich wäre vielleicht etwas entspannter geblieben. So aber war ich mir sicher, es müsse sich um ein Verbrechen handeln. Die vier bedauernswerten Geschöpfe waren bestimmt auf der Flucht vor etwas Schrecklichem.

Dass es auf Sylt Strandsaunen gibt, die auch im Winter betrieben werden, darauf wäre ich ebenso wenig gekommen wie darauf, dass es Menschen geben könnte, die sich freiwillig in milchiges Eiswasser schmeißen. So verliebt und schmerzunempfindlich konnte man gar nicht sein.

Rückblickend muss ich sagen, es war ein Fingerzeig Gottes. Nur leider verstand ich das damals noch nicht. Er wollte mir damit sagen: Wenn du hierbleibst, wirst du eine herrliche Insel mit einer unendlich schönen Natur erleben. Aber die Menschen, die du hier kennenlernst, sind nicht mit normalen Maßstäben zu messen, und sie sind unglaublich hart im Nehmen. Nicht umsonst nennt man sie manchmal »Friesenköppe« – und das bedeutet so viel wie »störrischer Esel« oder »sturer Bock«.

Das Schicksal nahm seinen Lauf, als ich 1989 meinen Mann heiratete und mit ihm nach Keitum zog.

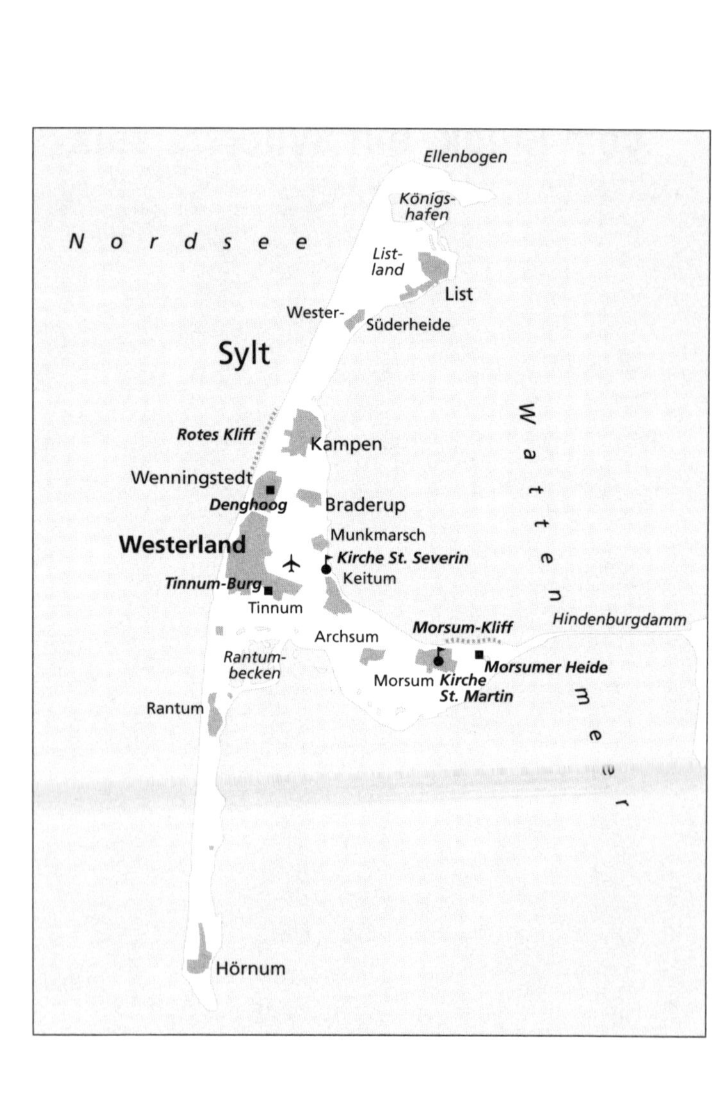
Ellenbogen
Königs-
hafen
Nordsee
List-
land
List
Wester-
Süderheide
Sylt
Wattenmeer
Rotes Kliff
Kampen
Wenningstedt
Denghoog
Braderup
Munkmarsch
Westerland
Kirche St. Severin
Keitum
Tinnum-Burg
Tinnum
Morsum-Kliff
Hindenburgdamm
Archsum
Rantum-
becken
Morsumer Heide
Morsum
Kirche
St. Martin
Rantum
Hörnum

Vom Glück, ein Sylter zu sein

Das Wichtigste im Zeitraffer

Sogar wer erstmals nach Sylt fährt und nicht viel mehr weiß, als dass dies der nördlichste Punkt unserer Republik ist, wird immer ankommen. Man darf nur auf der Autobahn A 7 nicht das Schild »Letzte Ausfahrt vor der Grenze« ignorieren, sonst landet man nämlich in Dänemark. Was aber auch kein großes Unglück wäre, denn dann fragt man sich bis zur Insel Röm durch, dem nördlich liegenden Nachbareiland. Von dort aus kann man es per Fähre immer noch nach Sylt schaffen. Fährt man mit der Bahn, ist die Ankunft narrensicher, denn Westerland ist ein Sackbahnhof, sodass man über sein Ziel gar nicht hinausschießen kann.

Man erreicht eine Insel, die mit knapp 100 Quadratkilometern die größte deutsche Nordseeinsel ist. Zudem die vielfältigste, bekannteste und, wie manche behaupten, auch die schönste Insel.

Insel stimmt allerdings genau genommen nicht mehr ganz. Denn seit 1927 ist Sylt durch den sogenannten Hindenburgdamm mit dem Festland verbunden. Dieser Jahrhundertbau ist das einzig mir bekannte politische Versprechen, das je eingelöst wurde. Die Schleswig-Holsteiner mussten sich nämlich nach dem verlorenen Ersten Weltkrieg in der Grenzregion in einer Volksabstimmung entscheiden, ob sie zukünftig zum Königreich Dänemark gehören oder lieber bei Deutschland verbleiben wollen. Den Syltern versprach man bei einer einhelligen Entscheidung gegen Dänemark einen Eisenbahndamm zum Festland. Ein lang gehegter Traum, denn die größte Behinderung für den aufgeblühten Fremdenverkehr war die mühevolle Anreise über das Wasser.

So geschah es, und da der wichtigste Hafen auf dem Festland, Hoyer, durch die Abstimmung plötzlich dänisch geworden war, Sylt aber deutsch blieb, wurde das Bauwerk, das damals 25 Millionen Reichsmark kostete, zügig vorangetrieben. Zur großen Freude auch heutiger Gäste, denn mit dem Zug über den rund elf Kilometer langen Damm teilweise auch durch das Wattenmeer zu fahren ist nach wie vor ein besonderes Erlebnis.

Doch bis es so weit war, dass die Sylter vom Fremdenverkehr leben konnten, haben sie über Jahrhunderte ein kümmerliches und hartes Leben geführt.

Im Mittelalter rissen die Sturmfluten ihr ohnehin karges Land und zahllose Dörfer ins Meer, die Menschen hungerten. Es wurde nicht nur jeder Pfennig, sondern jede Brotkante umgedreht.

Das Wasser brach immer wieder mit aller Macht gegen die am weitesten nach Westen vorgelagerte Insel, die ihre Existenz den Eiszeiten zu verdanken hat. Denn deren Gletscher lagerten hier ungeheure Mengen an Schutt ab, die sogenannten Moränen, heutiger Inselsockel. Durch die Klimaerwärmung schmolzen diese Eispackungen, und das frei werdende Wasser bahnte sich seinen Weg, die Nordsee entstand. Sie drang über Tausende von Jahren immer weiter in das Landesinnere vor, trug die Moräne Stück für Stück wieder ab und ist dafür verantwortlich, dass Sylt eine so eigenwillige Gestalt gefunden hat, die sich als Autoaufkleber ganz besonders gut macht.

Auch der unaufhörlich wehende Wind leistete dazu seinen Beitrag, indem er enorme Sandmassen vor sich herschob und die berühmte Dünenlandschaft der Insel formte.

Die Sylter konnten dieser Entwicklung nur tatenlos zusehen und darauf hoffen, dass die nächste Ernte ausreichen würde, die Familie zu ernähren.

Der erste große Aufschwung kam durch die Seefahrt. Um 1600 begannen die Sylter, deren Lebensgrundlage sich auf der Insel weiter verschlechtert hatte, für die Holländer mit wachsendem Erfolg auf Walfangschiffen zu arbeiten. So jagte man im Sommer Wale und Robben in der Grönländischen See und lebte im Winter bei der Familie auf der Insel, bis das tauende Packeis eine erneute Reise möglich machte.

Später segelten die Männer auf Handelsschiffen, um mit Tee, Gewürzen und anderen Kostbarkeiten nach Europa heimzukehren. Währenddessen kümmerten sich die Frauen um Haus und Hof.

So hätte es eigentlich weitergehen können, wenn nicht Napoleon auf der Bildfläche erschienen wäre und mit seinen Kriegen und der Kontinentalsperre ärgerlicherweise alles zunichtemachte. Die Männer zogen sich mangels Aufträgen auf die Insel zurück, und da mittlerweile ordentlich Geld verdient worden war, konnten viele Familien vom angesammelten Vermögen leben.

Dass dann Mitte des 19. Jahrhunderts wieder bessere Zeiten anbrachen, war ein großes und unverhofftes Glück.

Die Industrialisierung Europas, die auf Sylt zum Glück nicht stattfand, hat die Insel trotzdem nachhaltig geprägt. Denn die Gewinner dieser Entwicklung, der neu entstandene deutsche Geldadel, machte es sich zur Gewohnheit, in den heißen Monaten in die Sommerfrische zu fahren. Und reiste man anfänglich bevorzugt an die Ostsee, wurden durch verbesserte Verbindungen auch bald die Nordsee und Sylt Urlaubsziele.

Zwischendurch wurden die Sylter schnell noch Preußen, weil Bismarck sich mit Dänemark anlegte und mithilfe der Österreicher den Krieg gewann, sodass auch politisch einem Erfolg als Seebad nichts mehr im Wege stand. Den Syltern bescherte dies im Gegenzug viele Gäste aus der Donaumonarchie. Die beiden Weltkriege haben diese Entwicklung zwar behindert, aber den Fremdenverkehr, mittlerweile Tourismus genannt, nicht wirklich aufhalten können.

Heute lebt auf Sylt praktisch jeder direkt oder indirekt von den zahlreich anreisenden Urlaubern, und es gibt kaum ein Haus, das in der Saison keine Gäste beherbergt. Längst geht man davon aus, dass an Spitzentagen, wenn Feiertag, gutes Wetter und »Event« zusammentreffen, geschätzte 150 000 Menschen gleichzeitig auf der Insel sind.

Erstaunlich, dass selbst an diesen Tagen am 40 Kilometer langen Strand der Westküste immer noch Plätze zu finden sind, an denen man fast allein unterwegs sein kann.

Außer am Strand und den großartigen Naturräumen der Insel kann man sich in einem Dutzend Ortschaften vergnügen oder erholen, wobei Westerland unbestritten die Metropole ist, List die nördlichste Ortschaft von Deutschland, Keitum am Wattenmeer als uriges Friesendorf gehandelt wird und Kampen wohl nie mehr seinen Ruf als Promi-Ort loswerden wird.

Woher kommt der Name Sylt?

Auf diese Frage gibt es die unterschiedlichsten Antworten. Suchen Sie sich aus, was Ihnen am besten gefällt.

Das erste Mal taucht der Name *Sild* im Jahre 1141 auf, und zwar in den Unterlagen eines Klosters. Knapp 100 Jahre später heißt die Insel in den Registern des dänischen Königs Waldemar schon *Syld*. Später schrieb man auch mal *Silt*, wohingegen die Sylter selbst ihre Insel *Söl* nennen. *Söl* oder das dänische *Sild* kann man mit »Schwelle« oder »Sockel« übersetzen.

Nun ist das Wappentier der Sylter ja ein Hering, und der heißt in der dänischen Sprache ebenfalls *Sild*. Was wiederum einige Forscher vermuten lässt, *Sylt* wäre abgeleitet von Hering, weil die Insel früher vom Heringsfang lebte. Oder weil ihre Form heringsähnlich ist, was insofern Humbug ist, als die Insel anno 1141 noch ganz anders aussah. Hering ist jedenfalls ein gutes Stichwort für eine weitere Theorie. Um vom Heringsfang leben zu können, musste man die Tiere haltbar machen, indem man sie salzte. Manche Forscher vermuten, dass das einst westlich von Sylt gelegene Land dazu geeignet war, Salz zu gewinnen, weil der Untergrund aus Torf bestand. Dieser Torf, ein einstiges Moor, war salzhaltig, da Meerwasser eingedrungen war und die Faserstruktur des Torfs wie ein Schwamm das Salzwasser aufgenommen und das Salz angereichert hatte. Der Torf wurde »gestochen«, getrocknet und gebrannt. Das Endprodukt war ein besonderes Salz, das hier in großen Mengen hergestellt worden sein soll. Und tatsächlich bedeutet in der skandinavischen Sprache das Wort *sylte* so viel wie eingelegt oder gepökelt.

Doch damit nicht genug. Einige wollen wissen, *Sylt* sei abgeleitet von *Silendi*, was man mit »Land in der See« übersetzen kann. Auch nicht schlecht, finde ich.

Aber dann gibt es auch noch die Theorie, Sylt stamme vom altenglischen Wort *svelta*, was Toteninsel bedeuten soll. Grundgedanke ist, dass es auf Sylt einst Hünengräber in großer Zahl gab. Die Insel könnte sozusagen ein ganz besonderer Bestattungsort gewesen sein. Auf weitere Fragen gibt diese Theorie jedoch keine Antwort.

Ich hoffe, Sie haben Ihre Lieblingsdeutung gefunden.

Alles über Insulaner, Einheimische und Sylter

Auf Sylt gibt es knapp 20 000 gemeldete Einwohner. Wie viele Menschen sich im Sommer tatsächlich auf der Insel aufhalten, ist nicht eindeutig klar, und in Hinblick auf das Finanzamt – oder aus was für Gründen auch immer – halten sich die Anstrengungen, exakte Gästezahlen herauszufinden, eher in Grenzen. Die offiziellen Daten, gewonnen aus den Erhebungen der Tourismusbetriebe, verraten für die letzten Jahre einen beachtlichen Anstieg der Gästezahlen von 725.000 (2006) auf rd. 850.000 (2011) und machen deutlich, wie der Bau der vielen neuen Hotelprojekte Wirkung zeigt. Dass die Zahl auch sonst nicht mehr als ein Richtwert sein kann, weiß auf Sylt jedes Kind. Denn die statistischen Daten können nur das wiedergeben, was ausgewertet wird. Kurkarten zum Beispiel. Aber nicht jeder Gast ist verrückt nach diesem kostenpflichtigen »Inselausweis«.

Man könnte vermutlich auch den durchschnittlichen Wasserverbrauch eines Deutschen im Sommer zugrunde legen und ihn mit den Zahlen der örtlichen Wasserversorger in Beziehung setzen. Und würde dann vermutlich feststellen, dass die Insulaner und ihre Gäste unter einem Waschzwang leiden oder die Leitungen leck sind.

Aber selbst wenn man sich diese Mühe machen würde, hätte man noch immer nicht die korrekte Zahl, da es derzeit keine zuverlässige Methode gibt, die im Sommer massenhaft anreisenden Tagesgäste (die, per Bus mittels Fähre oder über den Hindenburgdamm kommend, die Insel fluten) zu erfassen.

Aber wie viele Gäste die Sylter in der Saison auch bedienen, es ändert nichts an den besonderen gesellschaftlichen Strukturen der Insel. Mir kommt es manchmal so vor, als gäbe es hier zwei Parallelwelten, die zwar miteinander zu tun haben, weil sie sich nicht aus dem Weg gehen können, aber ansonsten für sich leben.

Da sind zum einen die Sylter, auf der anderen Seite die Gäste, gemeinhin als »Touris« bezeichnet. Manchmal purzelt einem Sylter der älteren Generation noch das Wort »Kurschwein« aus dem Mund. Dieser Begriff muss wohl noch aus der Zeit stammen, als man die Ställe aufmöbelte, um lieber Badegäste unterzubringen. So nach dem Motto »Kühe und Schweine raus – Kurgäste rein«.

Eigentlich müsste man als dritte Gruppe noch die zahllosen Festlandsbewohner mit einbeziehen, die sich jeden Morgen auf den Weg machen, damit das »System Sylt« nicht zusammenbricht. In der Saison schätzungsweise 3000 Personen, die von den Syltern gern als »Schienenschieter« bezeichnet werden. Aber das würde zu weit führen. Konzentrieren wir uns einfach auf die Sylter und die Sylter Gäste. Immerhin haben Sie schon einen Eindruck davon gewonnen, dass die Insulaner im sprachlichen Umgang nicht zimperlich sind.

Im Übrigen auch nicht untereinander. Lange Tradition haben auf Sylt die sogenannten Oekelnamen. Eine Art Spitzname – das englische »nickname« trifft es am ehesten. Am besten kann ich Ihnen das an handfesten Beispielen erläutern: Im Sylter Osten lebte vor rund 100 Jahren eine »Dame«, die mehrere uneheliche Kinder hatte, wenn ich mich recht entsinne, hieß sie Merret. Die Sylter nannten sie alle nur »Merret ohne Büx«, und jeder wusste, um welche Merret es sich handelte, wenn dieser Name fiel. Das ist ein klassischer Oekelname.

Oder der frühere Milchmann Bleicken, dessen Pferd regelmäßig mit ihm durchging, weil es am Ende der Auslieferungstour zusah, dass es so schnell wie möglich wieder in den warmen Stall oder auf die grüne Wiese kam. Er wurde von den Insulanern nur »Bleicken ben Hur« genannt.

Diese Beispiele zeigen deutlich, dass die Friesen Humor haben, wenn auch einen ganz speziellen ... Die Tradition hat sich übrigens bis in die heutige Zeit erhalten, eine Bürgermeistersgattin, die in ihrer Rolle sichtlich glücklich war, hieß allgemein nur »Hillary«, ein längst von dannen gezogener Kurdirektor war »Herr Sarkozy von List«.

Aber ich schweife ab. Zurück zur Definition »Sylter«. Sylter? Tja ... natürlich ist nicht jeder ein Sylter, der hier lebt. Auch nicht, wenn er hier geboren wurde.

Man lernt auf der Insel in kürzester Zeit, dass es viele Chancen im Leben gibt, selbst sechs Richtige nebst Zusatzzahl im Lotto sind möglich, aber ein Sylter *zu werden*, nein, das geht nach meiner Erfahrung nicht.

Und so kommt es zu den unterschiedlichsten Missverständnissen, auf die ich später noch zu sprechen kommen werde. Wer jedenfalls glaubt, die Gnade der Sylter Geburt oder Wohneigentum machten einen Menschen zum Sylter, der lebt leider im Tal der Ahnungslosen.

Wie ein Kölner Ehepaar, das sich unlängst bei mir beklagte: »Stellen Sie sich vor, unsere Nachbarn begrüßen uns immer noch nicht mit ›Moin‹, obwohl wir doch nun Sylter sind.« Sie hatten sich vor zwei Monaten ein Apartment in Keitum gekauft.

Über die Bedeutung von »Moin« oder »Moin, Moin« streiten sich übrigens die Gelehrten. Für die einen bedeutet »moi« so viel wie »schön«, »Moin« also etwa »einen schönen« (zu ergänzen: Morgen, Tag, Abend), sodass man den Gruß den ganzen Tag anwenden kann. Andere halten »Moin« lediglich für einen verkürzten und abgeschliffenen »Morgen – Morjen – Morn«. Auf Sylt versteht jeder darunter, was er will.

Wichtig ist nur, wenn Sie mit diesem Gruß auf Sylt ernstgenommen werden möchten, dass Sie das »Moin« ganz kurz und knapp betonen und das Wort unter keinen Umständen in die Länge ziehen. Und lieber nicht »Moin, Moin« sagen, das gilt als geschwätzig.

Spannend ist, wie einem äußerst subtil vermittelt wird, ein Sylter zu sein, sei etwas ganz Besonderes.

Warum, das ist mir noch immer nicht ganz klar, denn warum sollte es ein Geschenk sein, auf dieser Insel geboren worden zu sein? Und zwar von Eltern, deren Eltern und auch deren Eltern ebenfalls hier geboren wurden? Wer käme auf den Gedanken, Frau Müller aus Klein-Kleckersdorf dafür zu beneiden, dass die letzten 20 Generationen ihrer Familie es nicht geschafft haben, sich vom Acker zu machen und mal woanders ihr Glück zu versuchen?

Auf Sylt ist eben einiges anders, und manch einer ist zutiefst davon überzeugt, dass es erstrebenswerter ist, ein Sylter Friese zu sein, als ein anständiger Hanseat oder kölscher Jeck. Ich meine mich zu erinnern, in den ersten Jahren meines Insellebens einen Aufkleber gesehen zu haben mit dem bemerkenswerten Slogan »Mehr als Sylter kann ein Mensch nicht werden«. Mehr als staunen kann man da erst einmal nicht.

Gleichwohl ist es natürlich angenehm, mit selbstbewussten Menschen zu tun zu haben. In diesen Zusammenhang passt ein herrliches Zitat von Ernst von Salomon, der in den 1930er- und 1940er-Jahren zeitweise auf Sylt lebte und nicht nur ausreichend Gelegenheit hatte, die Insulaner zu studieren, sondern auch noch eine gute Beobachtungsgabe besaß: »Die Friesen pflegten seit je den höchsten Grad der Toleranz – jenen der völligen Nichtbeachtung anderer Sitten und Gebräuche.« Besser kann man es nicht formulieren – dieses Lebensgefühl wird von vielen Syltern souverän gelebt.

Die auf der Insel lebenden Menschen sind also mitnichten eine homogene Gruppe, die sich im Trachtenverein organisiert und geschlossen bei der freiwilligen Feuerwehr antritt.

Nein, die Gesellschaftshierarchie auf Sylt ist erheblich diffiziler.

Mögen in anderen Regionen Fürsten, Grafen oder Kaufleute die gesellschaftliche Oberschicht bilden – auf Sylt ist es der Sylter per se. Er ist sozusagen die Krone der insularen Schöpfung, auch wenn man das auf den ersten Blick nicht erkennen kann. Aber sollten Sie auf jemanden treffen, der Sie ungefragt korrigiert, wenn Sie »in« Sylt statt »auf« Sylt gesagt haben, sind Sie schon ganz dicht dran.

Echte Sylter haben einen Stammbaum in der Tasche, der in die Zeiten von Pidder Lüng (so eine Art Sylter Störtebeker des 15. Jahrhunderts – wir kommen noch ausführlich auf ihn) zurückführt. Wenn sie zwei Tage auf dem Festland sind, werden sie ernsthaft krank. Schon wenn der Wind von dort herüberweht, können sie in eine starke Depression sinken. Und natürlich sprechen sie untereinander Friesisch, eine Fähigkeit, um die ich sie manches Mal glühend beneide. Sie können sich nämlich ungeniert, wenn sie beispielsweise in der Schlange vor der Post stehen, über die Umstehenden austauschen, ohne dass die Betreffenden auch nur ahnen, dass ihre Frisur oder ihre Garderobe gerade gründlich durchdiskutiert werden. Dass die Sylter maßlos stolz darauf sind, ihre Muttersprache zu beherrschen, ist allerdings ein Gerücht.

Da es nicht ausgeblieben ist, dass sich die Sylter in der neueren Geschichte – also jener Zeit, die Geschäftsleute, Heimatvertriebene und Badegäste auf die Insel spülte – mit all diesen »Fremden« munter gepaart haben, sind die Prinzen und Prinzessinnen der Sylter Gesellschaft immer noch jene Familien, die wenigstens *einen* echten Friesen im Stammbaum haben.

Dann wird es schon schwieriger. Denn wenn der (nichtinsulare) Großvater vor 100 Jahren mit seiner Familie auf die Insel kam, weil er die wirtschaftlichen Möglichkeiten richtig beurteilt hatte, dann gehören die Nachfahren natürlich längst zur Sylter Gesellschaft. Aber soweit ich das beurteilen kann, werden sie – sollte es hart auf hart kommen – immer den Kürzeren ziehen, da der Urgroßvater eben nicht dabei war, als man vor der Insel Jan Mayen die Wale erlegte.

Viel schlimmer trifft es wohl jene, deren Familien seit Hunderten von Jahren hier hocken, die aber als Sturzgeburt in Niebüll oder Klanxbüll das Licht der Welt erblickten, weil die Mutter es nicht mehr rechtzeitig auf die Insel geschafft hat. Das sind Nicht-Sylter. Ja, lachen Sie ruhig, aber ich habe von solchen tragischen Schicksalen gehört!

Als nächste in der Rangordnung von vereinten Friesen und Fremden kommen die Insulaner, die hier in Familien leben, aber eben nicht eingeheiratet haben. Und die, selbst wenn sie längst ihr goldenes Sylt-Jubiläum gefeiert haben, immer noch »Fremde« bzw. »Zugereiste« sind.

Am unteren Ende finden sich dann jene, die aus beruflichen Gründen auf Sylt leben, aber die Insel auch wieder verlassen werden.

Diese feinen Unterschiede gelten allerdings nur auf der Insel selbst. Und so erlebt jeder Insulaner ein interessantes Phänomen, wenn er woanders unterwegs ist und auf die Frage »Wo leben Sie?« nicht ausweichend mit »in Norddeutschland« oder »an der dänischen Grenze« antwortet, sondern mutig »Sylt« sagt. Dann kann es passieren, dass er augenblicklich Mittelpunkt der Gesellschaft ist, fast jeder kennt die Insel oder hat davon gehört – auf alle Fälle hat jeder seine Meinung. Nicht immer zum Vorteil der Insulaner, denen ein besonderer Ruf vorauseilt, den ich schwer in Worte fassen kann. Bin ich aber auf den Nachbarinseln unterwegs oder auf dem nahen Festland, spüre ich, dass es klüger ist, den Namen Sylt nicht zu erwähnen. Vielleicht bilde ich mir das auch ein, aber wenn ich erzähle, ich käme aus dem Alten Land bei Hamburg, ist der Blick, der auf mir ruht, wohlwollender als jener, den mein Mann ertragen müsste, würde er zugeben, von Sylt zu sein. Ausgleichende Gerechtigkeit nenne ich das! Andere Menschen, meistens Sylt-Fans, sind derartig beglückt, eine Sylterin oder einen Sylter zu treffen, dass man nur noch flüchten möchte.

Einige meiner Freundinnen sprechen in diesem Zusammenhang vom »Sylt-Vampirismus«, der ihnen wahnsinnig auf den Sender geht. »Ja, kennst du das denn nicht?«, fragten sie mich bei unserer letzten Feierabendrunde erstaunt. »Wenn du dich als Sylter outest, heften sich manche Menschen an deine Fersen und lassen dich nicht mehr los. Wollen von dir wissen, ob der Pastor von St. Severin noch lebt, ob der Gastwirt XY tatsächlich seine Frau betrügt oder wer alles bei der Galerieeröffnung letzte Woche in Kampen war – sie saugen alles auf, was du von dir gibst. Sie reden über die Insel, als wäre sie ihr ganz persönliches Wohnzimmer und du das dazugehörige Mobiliar. Und bist du höflich und stehst ihnen Rede und Antwort, kannst du sicher sein, dass sie auf der nächsten Party verkünden, du wärst eine gute Freundin von ihnen, und wo immer sie sind, fällt so ganz en passant dein Name. Die benutzen dich wie ein Eintrittsticket.«

So weit zu den »echten« und »unechten« Syltern – Sie sehen, ein weites Feld.

Der Sylter und sein Badegast

Die andere Welt ist die der Gäste. Wobei Zweitwohnungsbesitzer sich selbst vermutlich zu den Insulanern zählen, aber – wie Sie nun schon wissen – von den Insulanern zu den Fremden gezählt werden.

Auch unter den Gästen gibt es sicher Hierarchien, anders kann ich mir nicht erklären, warum sich wildfremde Menschen im Café oder Restaurant erzählen, wie oft sie schon auf Sylt waren. Hier kenne ich mich zwar nicht so gut aus. Dass aber der jährliche wiederkehrende Stammgast einen anderen Status hat als der durchreisende »TT« (Tagestouri), darf als sicher gelten.

Wenn nun diese beiden Welten – also Sylter und Touri – aufeinandertreffen, können die dollsten Dinge passieren.

Durchs Dorf irrenden Gästen wird auf die Frage »Wir suchen das Café XY« schon mal zur Antwort gegeben: »Na, dann mal viel Glück dabei!« Oder man darf im Fenster einer Apartmentvermietung eine Karikatur bestaunen, auf der zwei Möwen zu sehen sind, von denen die eine die andere fragt »Wollen wir heute mal Touris vollkacken?« und die Antwort lautet »Geile Idee«.

Daran wird deutlich, dass das Verhältnis vom Insulaner zum Gast gespalten ist.

Was vermutlich mit einer Aneinanderreihung von Missverständnissen zu tun hat. Die Bedürfnisse der Gäste sind eben mit denen der Insulaner nicht unbedingt deckungsgleich. Und auch das Bild, das manche Gäste von den Nordfriesen haben, ist korrekturbedürftig, denn mitnichten laufen alle an der Küste mit dem berühmten »Friesennerz« durch die Landschaft. Dieser Mogelpackung von Regenjacke, die den Körper bei Regen trocken halten soll. Nicht nur am Hals regnet es rein, auch die Oberschenkel werden pitschnass, wenn das Wasser die Jacke hinunterläuft. Und auch der restliche Körper bleibt nicht wirklich trocken, weil die körpereigene Transpiration unter der Wachsschicht wahre Höchstleistungen vollbringt. Und mit Sicherheit haben die alten Friesen solche Jacken nicht angehabt, als sie vor 1200 Jahren auf Sylt landeten.

Eine der gefürchtetsten Touren der örtlichen Busfahrer, die ihren Job wohl nur deshalb jahrelang durchstehen, weil fast alle mit Humor gesegnet sind, ist zur Hochsaison die letzte Abendfahrt von List gen Süden. »Warum sich jeder witzig findet, wenn er angeduselt und nach Knoblauch und Fisch stinkend in den Bus stolpert, kann ich einfach nicht begreifen«, hörte ich unlängst einen Fahrer der SVG seufzen. Auch mir sind in meiner Zeit als Betreuerin des Sylter Heimatmuseums, das ich damals auch bewohnen durfte, unglaubliche Begegnungen nicht erspart geblieben. So war ich in der Küche beim Abwasch und hörte es in der Wohnung rascheln. Mein Mann konnte es nicht sein, der war unterwegs, also machte ich mich auf die Suche und sah eine Frau aus meinem Schlafzimmer treten, die sich offensichtlich in Ruhe meine Wohnung ansah. Sprachlosigkeit ist mir eigentlich nicht eigen, aber ich konnte nur verblüfft stottern »Wo kommen Sie denn her?«, worauf die Dame vergnügt antwortete: »Aus Wanne-Eickel«.

Mit solchen Geschichten könnte man Bücher füllen.

Auf Sylt zu leben heißt immer, auch vom Fremdenverkehr (was für ein bemerkenswertes Wort, insbesondere, wenn man die Betonung umkehrt) zu leben. Der Tischler lebt von den Einbauten in den Apartments, der Bäcker von den Brötchen für die Gäste, und auch der Schuhverkäufer könnte nicht allein von den Insulanern existieren.

Das Dienstleistungsgewerbe bietet einleuchtenderweise die meisten Arbeitsplätze. Interessant ist dabei, dass man dort den »echten« Sylter weniger antreffen wird. Was sicher damit zu tun hat, dass es nur noch wenige »echte« Sylter gibt (leider kann auch ich Ihnen keine zuverlässigen Zahlen liefern, aber ich vermute mal, dass 2020 vielleicht noch 1000 Menschen auf Sylt den friesischen Dialekt *Söl'ring* sprechen werden), aber auch damit, dass es nicht unbedingt der Natur der Friesen entspricht, Dienstleister zu sein. In früherer Zeit haftete dem Dienst am Badegast fast etwas Entwürdigendes an. Ein Grund, warum die Hoteliers oder Restaurantbetreiber selten echte Sylter sind, dieses Metier hat man lieber den »Fremden«, also Zugereisten, überlassen.

Doch mittlerweile leben die Sylter alle gut vom Tourismus. Die Zeit der Seefahrt im 18. Jahrhundert wird auf Sylt die »Goldene Zeit« genannt. Heute lebt man meiner Ansicht nach in der zweiten goldenen Zeit. Die Arbeitslosenquote liegt im Sommer bei 3 %, das entspricht Vollbeschäftigung. Und 2007 durfte man in der Zeitung lesen, dass sich der Umsatz durch den Verkauf von Immobilien innerhalb der letzten zehn Jahre auf 616 Millionen Euro verdoppelt hat.

Das heißt, wer beruflich gescheitert ist, aber Eltern hat, die auf Sylt ein Häuschen besitzen, muss sich keine Sorgen machen. Viele Sylter finanzieren ihr Leben durch den Verkauf des Elternhauses, das – egal in welchem Zustand es sich befindet – einen Erlös erzielen wird, für den man in anderen Regionen ganze Gutshäuser bekommt.

Für Zugereiste ist es manches Mal schwer nachvollziehbar, dass es Sylter gibt, die froh sind, der Insel den Rücken kehren zu können. Aber Kindheit auf Sylt ist nicht nur Sonne, Sand und Meer. Immer wieder muss man als Sylter Sprössling bitter erfahren, dass die Prioritäten ganz deutlich sind: »Erst der Gast und dann du«. Es gibt keine Ferien mit den Eltern, denn Ferien heißt Saison. Die Zeiten, wo die Kinder im Sommer ihre Kinderzimmer gegen Zelt oder Heuschober tauschen mussten und die Eltern ihr Schlafzimmer vermieteten, sind wohl vorbei. Aber viele Sylter sind damit groß geworden, dass in der Saison immer Fremde im Haus waren. Und das bedeutete Rücksichtnahme, Badezimmer teilen und kein freies Wochenende, denn die Zimmer mussten geputzt werden, und die große Wäsche wartete, weil Bettenwechsel war.

Viel hat sich daran nicht geändert, und es ist insbesondere für Jugendliche keine leichte Welt. Denn um einen herum sieht man in der Saison nur sich dem Müßiggang hingebende Menschen, die viel essen, trinken und Party machen. Dass die Gäste vielleicht das ganze Jahr dafür gearbeitet haben, erschließt sich einem Jugendlichen von 14 Jahren nicht unbedingt.

So wie für die einen der Verkauf von Haus und Grund die Chance ist, sich einen Traum zu erfüllen, weil die Immobilien- und Baulandpreise auf Sylt aus dem Reich der

Phantasie zu stammen scheinen, wird das Erbe für andere, die bleiben möchten, schon mal zum Albtraum. Unlängst konnte man in der Zeitung lesen, die Immobilienpreise auf Sylt gehören zu den höchsten unserer Republik. In Kampen gibt es Vorzugslagen, wo man für den Wohnquadratmeter zwischen 25 000 und 35 000 € hinblättern muss.

Das Elternhaus, seit vielen Generationen in Familienbesitz, soll eigentlich nicht verkauft werden. Aber dann tritt der Erbfall ein. Ein kleines Friesenhaus unter drei erbenden Geschwistern aufzuteilen ist kaum möglich. Einer allein hat selten die Mittel, die anderen Geschwister auszubezahlen. Denn in guten Lagen beginnen die Immobilienpreise mit 800 000 € und mehr. Und es wäre auch wirklich viel verlangt, auf mehrere Hunderttausend Euro zu verzichten, um der Schwester oder dem Bruder ein Leben im elterlichen Haus auf Sylt zu ermöglichen. Der Verkauf des Hauses ist also kaum vermeidbar. Aber das Unglück will, dass der Anteil am Erlös, den in diesem Fall jedes Kind erhält, auf Sylt kaum ausreicht, neues Eigentum zu erwerben. Auch wenn der Ertrag – verglichen mit anderen Regionen Deutschlands – nur als grandios bezeichnet werden kann. Das Resultat ist, dass viele aufs Festland ziehen, weil dort Grund und Boden erheblich günstiger sind. Im Moment darf man beobachten, dass Eigentumsverkäufe aus Privatbesitz zu knapp 90 % in Zweitwohnungsbesitz umgewandelt werden. Dauerwohnraum also dramatisch verloren geht.

Wenn Sie jetzt einwerfen, das sei aber ein Klagen auf sehr hohem Niveau, solche Sorgen hätten Sie auch gern, gebe ich Ihnen von Herzen recht. Fatal für die Insel ist jedoch, dass zahlreiche Familien mit Kindern abwandern, die Sylt dringend benötigt, denn wer hier aufgewachsen ist und Sylt als seine Heimat ansieht, wird sich als Erwachsener auch engagieren, ehrenamtlich oder beruflich – und das ist notwendig für eine gesunde Sozialstruktur, die in manchen Orten, wo der Zweitwohnungsbesitz längst über 50% liegt, kaum noch aufrechtzuerhalten ist. In 30 Jahren werden auf Sylt vermutlich weniger als 15 000 Einwohner leben. Im Jahre 2012 sind beispielsweise 1593 Bewohner weggezogen, aber nur 1415 frisch dazugekommen.

Erheblich schwieriger ist die Situation also für jene Menschen, die günstige Mietwohnungen benötigen. Eines der insularen Hauptprobleme ist das zu geringe Angebot an Dauerwohnraum, denn wer die Möglichkeit zur Vermietung hat, kann sich an einer Hand ausrechnen, dass es erheblich lukrativer ist, die Hälfte des Jahres Gäste aufzunehmen, als das ganze Jahr über einen Dauermieter zu beherbergen. Denn für ein kleines Apartment müsste man schon 1500 Euro Miete nehmen, um auf vergleichbare Einnahmen zu kommen. Da leistet man sich keine Sentimentalitäten, auch wenn dieser Dauermieter vielleicht das eigene Kind ist oder der Pastor, der ein Vierteljahrhundert die Familie getraut, getauft, beerdigt hat und jetzt in Rente geht und auf Sylt bleiben will. Manche Insulaner ziehen im Sommer sogar auf den Campingplatz, weil sie nicht auf die Einnahme durch die Vermietung verzichten möchten.

Das bedeutet aber, dass in vielen Fällen nur das an Wohnungssuchende vermietet wird, was man einem Gast nun wirklich nicht mehr anbieten kann. Wer auf Sylt schon mal das zweifelhafte Vergnügen hatte, eine Bleibe suchen zu müssen, kann ein Lied davon singen. Es gibt eigentlich kaum ein Treffen mit Freunden, auf dem nicht der eine oder die andere fragt: »Sagt mal, habt ihr vielleicht von einer freien Wohnung gehört?« Das heißt, was auf dem Annoncenmarkt landet, muss man sich eigentlich gar nicht mehr ansehen. Darunter befinden sich beispielsweise zahllose feuchte Kellerwohnungen – angepriesen als »Souterrain-Wohnungen« oder als »Wohnen im Warftgeschoss«. Eingang in den allgemeinen Sprachgebrauch für die vielen winzigen Wohnungen hat auch das Wort »Sylter Wohn-Klo« gefunden oder die »Sylt-Garage«. Glauben Sie um Himmels willen nicht, dass die Garagen, die Sie auf Sylt auf fast jedem Grundstück entdecken, auch immer als solche genutzt werden! Auch nicht, wenn Sie vor einem Garagentor stehen. Das ist nur die Tarnung. Würde man beim insularen Bauamt arbeiten, könnte man gewiss regelmäßig eine Bauabnahme machen, bei der man sich über den Heizkörper und den Wasseranschluss in der Garage wundern dürfte. Klar, der Wagen darf nicht frieren und muss ja auch mal gewaschen werden …

Eine meiner Freundinnen hat ihr erstes Jahr in einer – na, Wohnung will ich es nicht nennen – verbracht, also sagen wir mal, sie hatte eineinhalb Zimmer gemietet, die – abgesehen von den Außenmauern – nur aus Pappwänden bestanden. Da ihr Nachbar ein ausschweifendes Liebesleben hatte, standen wir oft vor der Entscheidung, ihr »Hausprogramm« zu hören oder ins Kino zu gehen. Berücksichtigt man die Kinokosten, war ihre Wohnung so teuer wie eine Berliner Fünfzimmerwohnung in bester Lage.

Beliebte Vermietobjekte sind auch – obwohl verboten – Spitzböden. Der Einwurf eines Wohnungssuchenden, dass die Zimmer aufgrund der fehlenden Isolierung aber im Sommer ganz schön heiß würden, kommentierte der Vermieter nur lapidar mit dem Hinweis, dass man auf Sylt tagsüber arbeiten würde, und außerdem hätte die Nordsee ja nie über 20 °C, da könne man sich gut abkühlen.

Die Verknappung des Wohnraums produziert nicht nur größenwahnsinnige Vermieter, sondern logischerweise auch unverhältnismäßig teure Wohnungen. Die Kosten des sozialen Wohnungsbaus liegen auf der Insel bei 9 Euro pro

Quadratmeter – dem sogenannten »Sylt-Quadratmeter«. Was das bedeutet? Es wird *alles* mitgezählt, die Kellerräume, die Fläche unter den Dachschrägen, manchmal sogar die Stufen der Treppe. Man darf sich nur wundern, dass sich auch manche Sylter Makler oder Notare nicht scheuen, wider besseren Wissens Verträge mit arglosen Käufern zu begleiten, um ihr Salär einzustreichen. Ihre Kunden kaufen manches Mal eine vorprogrammierte Katastrophe, weil sie die Bebauungsregeln nicht kennen. So kündigte sogar das Amtsgericht unlängst die Zwangsversteigerung für ein Wohnhaus mit sieben Wohnungen an. Mehr als drei Wohnungen sind aber gar nicht genehmigungsfähig …

Es haben sich wirklich seltsame Regeln entwickelt, wenn es um den Verkauf von Häusern oder die Vermietung von Wohnungen geht und dass dieser Markt enorm lukrativ ist, wird alleine schon an der stolzen Anzahl von rund 200 Maklern deutlich, die auf der Insel am Werkeln sind.

Ausgesprochen keck ist das Verfahren, wenn der Bund, also der Staat, auf Sylt Häuser verkauft, die bisher von Angehörigen des Bundes bewohnt wurden.

Der Bund ist auf Sylt ein großer Immobilienbesitzer, denn vor dem Krieg kaufte das Deutsche Reich zu Dumpingpreisen Land auf beziehungsweise enteignete es. Bebaut wurde es dann nicht nur mit Kasernen, sondern auch mit Einzelhäusern für die höheren Dienstgrade. Da auf Sylt die Militärstandorte mittlerweile geschlossen sind, werden diese sogenannten Liegenschaften nicht mehr benötigt und aufgrund knapper Kassen peu à peu verkauft. Dafür kann man noch Verständnis aufbringen, denn unser Staat benötigt ja unablässig Geld, aber verständnislos steht man vor den angewandten Methoden, die einem Spekulanten zur Ehre gereichen würden. Die Häuser des Bundes werden ohne Preisvorstellung in der Zeitung annonciert, stattdessen muss man sich mit einem eigenen Angebot bewerben. Stellen Sie sich vor, Sie haben Hunger, stehen mit zehn Personen beim Bäcker, der nur noch ein Brot in der Auslage hat und das Brot demjenigen verkauft, der das meiste Geld bietet. Ich würde das sittenwidrig nennen.

Dass bei dieser Vorgehensweise wieder keine Familien zum Zuge kommen oder die Noch-Mieter, die gerne bleiben würden, oder Inselbewohner mit einem Durchschnittsgehalt, ist einleuchtend. Stattdessen werden die Häuser meist an Zweitwohnungsbesitzer verkauft. Mit dem Resultat, dass dort, wo früher Familien lebten, die Kindergarten, Kirche und Schule gefüllt haben, jetzt für wenige Wochen im Jahr glückliche Urlauber wohnen. Und um hier keine Missverständnisse zu produzieren, nein, ich hege keinen Groll gegen Zweitwohnungsbesitzer. Aber ich bedauere es immer wieder, wenn ich beobachten muss, dass ein belebter Ortsteil sich in ein totes Stück Ortschaft verwandelt, weil der Bund auf Sylt wie ein Spieler auftritt und nicht als sorgender Vater Staat. Eine besondere Form von Monopoly.

Gemeinden wie Hörnum und List sind in den letzten Jahren am stärksten von dieser Entwicklung betroffen, und einige Straßenzüge verwandeln sich hier zunehmend in Kulissenstandorte für Urlauber.

Manche Gemeinden versuchen bereits, mit der Ortsgestaltungssatzung gegenzusteuern, indem in einigen Bereichen Reetbedachung nicht mehr zugelassen wird, weil dies zu einer höheren Attraktivität für Zweitwohnungsinteressenten führt. Verrückte Welt.

Die hier knapp geschilderten gesellschaftlichen Probleme des Insel-Mikrokosmos sind ebenso faszinierend wie unterhaltsam. Und das nicht nur aus der bisher dargestellten Sicht der Insulaner.

Was passiert zum Beispiel, wenn Urlauber die Seite wechseln? Zu Insulanern werden, weil sie sich hier Eigentum kaufen? Wofür es ja die unterschiedlichsten Motive geben kann. Der eine sieht sein Häuschen ausschließlich als Wertanlage, manch einer möchte nicht für jeden Urlaub eine neue Unterkunft buchen müssen und lieber unabhängig sein, wenn er auf die Insel fährt, die anderen sind auf der Suche nach einem angenehmen Altersruhesitz, und manch einer, aber das sind die wenigsten, möchte richtig hier leben, so mit allem Drum und Dran.

Diese letzte Gruppe – die zum Bleiben Entschlossenen – stellt sich den Start in ihren neuen Lebensabschnitt bisweilen sicher anders vor.

Viele haben ihr Urlaubsbild von Sylt im Kopf und müssen lernen, dass der Alltag auf der Insel auch nicht anders aussieht als in anderen Kleinstädten der Republik.

Und wird man woanders vielleicht freudestrahlend von den neuen Nachbarn begrüßt, pflegt der Sylter erst einmal Zurückhaltung. Weiß man denn, ob die das auch ernst meinen?

Man muss sich vor Augen führen, dass die Zeiten, als die Sylter ihre Gäste noch alle beim Namen kannten, man abends zusammen Karten spielte oder gemeinsam Peter Frankenfeld sah, weil das Wohnzimmer im Haus auch gleichzeitig Aufenthaltsraum für die Gäste war, Lichtjahre vorbei sind.

Weder Zeit noch Kraft reichen aus, sich mit jedem neuen Gesicht zu beschäftigen. Und das Gleiche gilt für die neue Nachbarschaft, die in manchen Gebieten zudem einer bemerkenswerten Fluktuation unterliegt. Diverse Häuser wechseln auf Sylt so regelmäßig ihren Besitzer wie anderswo Automobile.

Aus eigener Erfahrung weiß ich, wie schwierig sich dieses Thema gestalten kann. Wenn die neue Freundschaft oder Nachbarschaft sich auflöst, weil die betreffende Person nach zwei, drei Jahren doch wieder die Insel verlässt. Ich ertappe mich mittlerweile selbst dabei, hier keine Energieverschwendung mehr zu betreiben. Wenn jemand es ernst meint, ist er auch noch in zwei Jahren da.

Nun soll dieses Buch ja keine Anleitung »Wie werde ich am besten Sylter Bürger?« werden. Aber vielleicht doch ein paar kleine Tipps:

Angenommen, man hat auf Sylt ein neues Haus gebaut. Dann wäre es sicher sinnvoll, vor dem Einzug darüber zu sinnieren, ob die Nachbarn vielleicht eine zehnmonatige Baulärm-Qual hinter sich haben. Eventuell sogar mit finanziellen Folgen, denn man lebt ja schließlich von der Vermietung. Und wenn man sein neues Häuschen nur zeitweise nutzt, haben die Nachbarn sicher anderes zu tun, als bei Abwesenheit des Neubürgers auf sein Heim und seinen Garten aufzupassen und die Mülltonnen an die Straße zu stellen. Und man sollte in diesem Falle auch nicht glauben, dass man, wenn man wieder mal angereist ist, dort weitermachen kann, wo man vor einem halben Jahr aufgehört hat. In der Zwischenzeit haben die Nachbarn nämlich monatelang auf tote Fenster gestarrt. Das hebt die Stimmung nicht unbedingt.

Manche Neubürger erwerben historische Friesenhäuser. Alte, reetgedeckte Klinkerbauten mit tief heruntergezogenen Dächern und kleinen Stuben, wie es früher üblich war. Häuser, die alteingesessenen Familien über Generationen gehörten. Die aber (s. o.) verkaufen mussten.

Tatsächlich gibt es Käufer, die diese Häuser abreißen, um ein neues Häuschen zu bauen. Ich habe ja viel Verständnis für Menschen, die lieber in einem Neubau als Altbau wohnen. Warum man aber ein altes Haus kauft, wenn man eigentlich alle Annehmlichkeiten eines Neubaus will, erschließt sich mir nicht.

Wie auch immer, wenn dann die Sanierungs- bzw. Abrissarbeiten beginnen, darf man nicht erwarten, dass sich im Dorf Begeisterungsstürme erheben, weil die olle Bude endlich verschwindet. Schließlich ist man gerade dabei, ein Stück insulare Geschichte und Volkskunst zu zerstören. Einen Teil des kollektiven Erinnerungspools der Dorfgemeinschaft, genau der Dorfgemeinschaft, mit der man anschließend – so vermute ich jedenfalls – in trauter Nachbarschaft leben möchte. Das ist nicht das beste Eintrittsticket.

So gibt es viele Gründe, warum die Sylter sich auf ihre privaten Kreise zurückziehen und man Freundschaften nicht unbedingt geschenkt bekommt, wenn man frisch auf der Insel eingetroffen ist.

Aber zum Glück gibt es auch andere Beispiele. Neubürger, die in kürzester Zeit integriert sind. Weil sie sich engagieren und das Umfeld spürt: »Die sind an uns interessiert, die kommen nicht nur auf die Insel, um ihre Freunde hier im Sommer zu den beliebten Gartenpartys einzuladen.«

Ist es nun ein Glück, ein Sylter zu sein oder als Zugereister hier zu leben?

Die oben skizzierte Wohnungsnot ist sicherlich ein bitterer Wermutstropfen. Aber wem es gelungen ist, eine schöne Bleibe zu finden, weil es auch ehrliche Vermieter gibt und Familien, die es geschafft haben, das Erbe ohne Streit auf die Geschwister zu verteilen, der kann auf Sylt ein Paradies entdecken.

Definitiv nicht zur Hochsaison am Strand von »Sansibar« oder am Lister Hafen. Aber es gibt sie, die Strandabschnitte, wo man als Erster und für lange Zeit Einziger seine Fußspuren in den Sand setzt. Im Sylter Osten finden sich Wege und Stege, wo man – schließt man die Augen –

nur das Singen der Lerchen, das Flöten der Austernfischer und das Mäh der Schafe hört.

Und »der Sylter« kann ein ganz wunderbarer Zeitgenosse sein. Seine spezielle Empfindlichkeit allem Fremdem gegenüber, dass ihm nämlich alles, was vom Festland kommt, suspekt ist, hat schließlich verständliche Gründe. Die Sylter haben über Jahrhunderte glücklich auf ihrem Sandknust gelebt. Von den Sturmfluten mal abgesehen ohne größere Störungen. Wenn aber richtig Ärger ins Haus stand, konnte man sicher sein, er kam vom Festland. Seien es die Pest, die Steuereintreiber, die Häscher des dänischen Königs auf der Suche nach Soldaten, blödsinnige Naturschutzbestimmungen oder die Party-People der Beachpartys – oder die Gebühreneinzugszentrale, die anhand der Vermieterprospekte erkennt, dass pro Haus doch mehr als nur ein Fernseher und ein Radio abgerechnet werden können.

Vom Festland kamen übrigens auch die Ratten. Die erste Ratte erreichte 1895 per Boot die Insel und wird diese kleine Seereise bitter bereut haben, denn man hat sie zur Warnung und Aufklärung der Bevölkerung gleich an den nächstbesten Mühlenflügel genagelt. Was ihre Ausbreitung durch den späteren Bau des Hindenburgdammes allerdings nicht verhindern konnte. Deshalb wenden die Sylter diese rabiaten Methoden heute auch nicht mehr an.

Wer das besondere Wesen des Sylters besser verstehen möchte, findet erstaunlich viele Antworten in den zahlreichen Sprichwörtern der Friesen. Einem wahren Schatz, der größer ist als ihr Repertoire an Kirchenliedern. So darf man erfahren: *Lewer stjunk fan Sjipluurter üs fa Frräämern.* (Lieber Gestank von Schafdünger als von Fremden.)

Da weiß man doch, woran man ist.

Kannst du uns fürs Wochenende ein Zimmer besorgen?

Wenn diese Frage in das Ohr eines Sylters dringt, ist es niemals November. Es ist Ostern oder Pfingsten, oder es sind Sommerferien. Der Wetterbericht hat ein sonniges Wochenende versprochen, und außerdem hat man sich ja lange nicht mehr gesehen.

Wenn man jetzt nicht sofort und unmissverständlich »Nein« sagt, begibt man sich auf eine »mission impossible«. Denn es geht ja nicht nur darum, ein Quartier zu organisieren, obwohl alles ausgebucht ist, sondern es wird verständlicherweise erwartet, dass ein Einheimischer immer DEN Insidertipp überhaupt an der Hand hat. So ca. 100 Quadratmeter in Keitum mit Meerblick für 30 € mit Frühstück. Für zwei Nächte.

Klar, das ist jetzt ein wenig übertrieben, aber wirklich nur ganz wenig.

Wer Freunde hat, die einem so etwas antun, braucht keine Feinde mehr, behauptet meine Schwippschwägerin.

Neben meinem Telefon liegen längst Adressenlisten von großen Apartmentvermietern, Touristenbüros oder Hotels. Es tut mir ehrlich leid, aber bei dieser Frage kann auch ich nicht mit mehr dienen, denn da wir selbst keine Vermieter sind, haben wir in unserem Haus keine Räumlichkeiten, die ich das ganze Jahr über freihalten könnte, um Freunde, Familie und angebliche Verwandte (manche Verwandtschaft ist selbst mit Fernglas für mich nicht erkennbar) oder Bekannte unterzubringen.

Doch seit es das Internet gibt und die Sylter Vermieter sich diesem Medium geöffnet haben, ist es im Vergleich zu früheren Zeiten, als manche Telefonnummern wie Aktien gehandelt wurden, fast ein Kinderspiel, eine passende Unterkunft zu finden – wenn man sich rechtzeitig darum kümmert.

Zahlreiche Homepages ermöglichen nicht nur die Besichtigung der Ferienwohnung mittels Innenaufnahmen, sondern als Serviceleistung gibt es auch gleich noch Anreisemöglichkeiten, Tipps und vieles mehr. Und: Auf Sylt findet man alles – vom Superluxushotel bis zur Pension für 35 € die Nacht. Von anonymen Großhotels bis hin zur Unterkunft mit persönlicher Betreuung inklusive Wärmflasche, wenn die Heizung ausgefallen sein sollte.

Ein großes Apartment mit Meerblick in zentraler Lage für 50 € die Nacht gibt es allerdings nicht! Dafür sieben Campingplätze in oftmals herrlicher Lage mit direktem Zugang zum Meer.

Um die Suche zu erleichtern, ist es nie falsch, genau zu wissen, was man will. Wenn man ein Restaurant besucht, weiß man im Allgemeinen auch, ob man Appetit auf Fisch, Fleisch oder Pizza hat.

Also, soll es lieber ein schnuckeliges Apartment unter Reet sein oder ein funktionales Zimmer mit Frühstück, das ich ausschließlich zum Schlafen nutze? Brauche ich den Strand direkt neben der Haustür, oder blicke ich sowieso lieber auf Wiese und Schaf?

Hier zur Unterstützung ein paar grundsätzliche Regeln:

- Kampen oder Keitum sind durchschnittlich teurer als Tinnum oder Wenningstedt.
- Meeresnähe und Zimmerpreis korrespondieren miteinander, d. h., ein nettes Apartment mit 30 Minuten Fußweg zum Strand kann günstiger sein als ein einfaches Zimmer direkt am Strandübergang.
- Es ist so gut wie zwecklos, lange im Voraus für »die Saison« eine normale Unterkunft nur fürs Wochenende oder vier Nächte buchen zu wollen. Wären Sie selbst Vermieter, fänden Sie es auch attraktiver, zwei Buchungen für je sieben Tage entgegenzunehmen, als innerhalb von vierzehn Tagen vier verschiedene Anreisen zu haben, die alle nur zwei, drei Tage bleiben und Ihnen auch noch Lücken in Ihrem Vermieterkalender hinterlassen. Großhotels ausgenommen.
- Eine Pension oder ein kleines Hotel mit wenigen Zimmern ist naturgemäß persönlicher geführt als ein 400-Betten-Haus. Wenn Sie also beim Frühstück Ihre Ruhe möchten und keine Lust darauf haben, jeden Morgen nach Ihrem Befinden gefragt zu werden, lassen Sie um Himmels willen die Finger von privaten Unterkünften, und steigen Sie in einer Großherberge ab.
- In der Nebensaison gibt es zahlreiche »Specials«. Das sind beispielsweise besondere Wochenendangebote, oder man zahlt nur sechs Tage, obwohl man sieben bleibt, oder man bekommt ein »Bonbon« wie Massage, Fahrrad oder ähnliche Zusatzvergünstigungen kostenlos zur Buchung dazu.

- Wenn Sie auf der Suche nach einem Apartment sind, sollten Sie wissen, dass die einzelnen Apartmentanbieter recht ortsbezogen arbeiten und nur selten inselweit Domizile im Angebot haben. Unter www.sylt-travel.de findet man aber im Internet immerhin über 3000 Angebote – inselweit.
- Wenn Sie dann glücklich angereist sind, Ihnen die Insel gefällt und Sie nur noch in Hinblick auf die Unterkunft etwas ändern möchten, dann investieren Sie einen kleinen Teil Ihres Urlaubs in den nächsten. Sehen Sie sich die Hotels und Ferienwohnungen vor Ort an, oder klingeln Sie einfach (Mittagszeit oder nach 20 Uhr könnte kontraproduktiv sein ...) dort, wo vermietet wird und es Ihnen gefällt. Dann wissen Sie das nächste Mal genau, was Sie erwartet, und haben auch schon einmal Ihre Vermieter kennengelernt, was für beide Seiten von Vorteil sein kann.

Zur Orientierung ist die offizielle Seite der Insel www.sylt.de eine große Hilfe, denn sie ist sehr benutzerfreundlich angelegt. Mithilfe der Suchfunktionen ist man schnell und bequem dort, wo man hinmöchte.

Wenn man allerdings schon genau weiß, in welchem Ort man seine Urlaubstage verbringen möchte, ist es sicher sinnvoll, direkt auf die Webseite der betreffenden Ortschaft zu gehen.

Das Angebot an Unterkünften auf Sylt ist wirklich sehr groß, offiziell wird von rund 60 000 Betten gesprochen. Hier bestätigt sich die alte Weisheit: Wer die Wahl hat, hat die Qual.

Badeleben mit und ohne

Sylt ist angeblich die Insel der Schönen und Reichen. Die jedoch, wie ein Kabarettist klug erkannte, nicht unbedingt derselben Gruppe angehören.

Sylt ist aber auch die Insel der Nackten. Nudismus hat bereits eine hundertjährige Tradition auf der Insel. Zu verdanken hat man das den Mitstreitern der Wandervogel- und Jugendbewegung, deren Anhänger die einsamen Strände der Insel als ideales Revier nutzten, um »im Lichtkleid zu baden«, wie man damals poetisch formulierte.

Die Westerländer bauten für diese Bedürfnisse ein Holzgebäude mit Innenhof und nannten es »Sonnenbad«. Dass die Holzlatten in kürzester Zeit kleine Bohrlöcher aufwiesen, ist verständlich. Denn was man sonst am Strand zu sehen bekam, war von den Knöcheln bis zum Kinn unter gerüschten Faltenwürfen versteckt. Und damit Anstand und Sitte nicht litten, gab es zudem ein Herren- und ein Damenbad. Sonst hätte ja Unerhörtes passieren können.

Dabei hatte schon 1855 der fortschrittliche Badearzt Dr. Jenner geraten: »Unter allen Umständen bade man ohne Kleider.« Für jene Zeit eine erstaunliche Empfehlung, deren Umsetzung dann aber doch über 100 Jahre warten musste. Öffentliche FKK-Strände wurden erst in unseren 1950er-Jahren populär. 1954 wurde in Westerland der erste offizielle Nacktstrand unserer Republik überhaupt eingeweiht. Die entsprechenden Strandabschnitte erhielten zudem so assoziative Namen wie Abessinien oder Samoa. »Fiete kum kieken« übersetzten die Sylter in ihrem eigenwilligen Humor das FKK-Kürzel, und das war für manch einen verklemmten Gast tatsächlich Programm.

Es gibt köstliche Geschichten von den Strandkorbwärtern der FKK-Strände, die gleichzeitig ein Auge auf Fernglasträger und Fotografen haben mussten. Es gab gespannte Wäscheleinen, auf der manche Wächter ihre Trophäen – herausgezogene Filme – mit Wäscheklammern fixierten und den staunenden Strandgängern zeigten.

Konflikte waren auch deshalb programmiert, weil man sich dem Nacktzwang beugen musste, wenn man am Strand entlangschlenderte und den FKK-Abschnitt betrat. In Wenningstedt wurde ganz besonders rigoros auf die Umsetzung dieser Regel geachtet. Strandwanderer, die von Westerland nach Kampen laufen wollten oder umgekehrt, mussten sich also entkleiden, wenn sie den Nudistenstrand betraten. Taten sie das nicht, wurden sie von der FKK-Gemeinde höflich dazu aufgefordert. Weigerten sie sich, wurde die Bitte ebenso höflich, aber bestimmter wiederholt. Nach der dritten Aufforderung erhoben sich alle Nackten, fassten sich an den Händen und bildeten einen Kreis, in dessen Mitte sich der verdutzte Verweigerer wiederfand. Lehnte er erneut ab, ging der gesamte Kreis mit ihm in Richtung Wasser und gegebenenfalls auch weiter.

Der berühmteste Nacktbadestrand der Insel heißt, das weiß wohl jeder, selbst wenn er noch nicht auf Sylt war, »Buhne 16« und gehört zu Kampen. Bühne 16 würde besser passen, denn viele spielen hier Theater, das Stück heißt meistens »Sehen und gesehen werden«. Ich kann mich noch gut an meinen ersten Sylter Sommer erinnern. Wir liefen denselben Weg am Strand entlang wie ein paar Monate zuvor. Das, was ich jetzt sah, hatte kaum noch etwas mit der unauslöschlichen Erinnerung an einen eiskalten Wintertag zu tun.

Ein angenehmer Wind wehte vom Meer heran, glückliche Urlauber, wohin man sah, die Sonne schien, und die Kinder kreischten vor Glück in der Brandung. Dass auf der Höhe von Buhne 16 den Menschen die Badekleidung fehlte, störte mich nicht, ich gehe selbst gern ohne die lästigen kleinen, am Körper festgebundenen Dreiecke ins Meer.

Was mich jedoch irritierte, war die Tatsache, dass die Damen – obwohl nackt – teilweise noch ihren Schmuck trugen. Ich hoffe, Ihre Phantasie reicht aus, um sich vorstellen zu können, was für ein launiges Bild eine dunkelbraun gebrannte Endvierzigerin am Nudistenstrand abgibt, die ein dickes Collier um den Hals trägt.

Wenn man auf Sylt lebt, lebt man ganz natürlich mit FKK. So wie die Münchner beispielsweise mit Weißwurst, die im Übrigen viel Ähnlichkeit mit dem hat, was man im Sommer am Sylter Strand sehen kann.

Für Insulaner ist es eher irritierend, wenn die Gäste diese Freizügigkeit beunruhigt. Wie Marcel Reich-Ranicki, der, auf Sylt angesprochen, meinte, er hätte nur »Quadratkilometer Schamhaar« gesehen.

Manche inspiriert das Umfeld sogar zu schönen Gedichten, wie Kgafela oa Magogodi, einen Stipendiaten der Sylt-

Quelle im Jahre 2003. Hier eine Passage aus seinem Gedicht »Die Insel Sylt«:

Nackte spielen
Am Sandstrand
Der Insel Sylt
Schwänze in haarigen Dschungeln
Baumeln
Wie Tarzan an menschlichen
Baumstämmen
Evas Töchter wackeln ihre nackten Hintern
In ungeschicktem Rhythmus.

Das nenne ich Poesie.

Im letzten Jahr häuften sich die Leserbriefe in der »Sylter Rundschau«. Man durfte erfahren, dass sich die Nudisten diskriminiert fühlen. Immer mehr Urlauber dringen in die ausgewiesenen FKK-Zonen ein, ohne sich darum zu scheren, dass FKK das Kürzel für Freikörperkultur ist. Die Nackten müssen sich mittlerweile einiges anhören. Wie Roswitha, die seit über 50 Jahren FKK-Anhängerin ist, und das traditionell in Kampen. Baut sich so eine junge Yuppie-Mutter vor ihr auf, vermutlich in der irrigen Annahme FKK stehe für »(Ich) Finde Kampen klasse«, und meint, Roswithas Anblick wäre eine Zumutung.

Du meine Güte, jetzt sind die jungen Leute schon verklemmter als die Alten.

Man sollte das mit friesischer Gelassenheit sehen:

Elk sin Möög, ik iit Fiigen! (Jeder nach seinem Geschmack – ich esse Feigen!)

Die Sylter im Winter

Zunächst einmal denkt der Sylter nicht in üblichen Jahreszeiten. So wie er sich früher mit Ebbe und Flut arrangieren musste, lebt er jetzt mit Saison und Nebensaison.

Winter ist »nach der Saison« oder »vor der Saison«, je nachdem, wie man drauf ist. Und das sagt schon viel darüber aus, was im Winter zu tun ist. Nach der Saison fährt man erst einmal in Urlaub.

Für mich ist es dabei ein Phänomen, dass die Sylter gern dorthin fahren, wo sie andere Sylter treffen. Bevorzugtes Zielgebiet sind Inseln, auf denen man Landsleuten begegnet. Die Jüngeren, so bis 35 Jahre, fliegen nach Fuerteventura. Kommt man nicht mehr aus dem Frühbeet, entscheidet sich der Sylter Friese für Gran Canaria oder Teneriffa. Und hier treffen sie sich dann alle in der Kneipe von Heidi, die früher Wirtin auf Sylt war. Wenn ich nicht jedes Jahr diese Urlaubsgeschichten erzählt bekäme – ich würde es nicht glauben!

Wenn die lang ersehnten Ferien vorbei sind, muss die Saison vor- oder nachbereitet werden. Wer vermietet, hat immer etwas zu reparieren oder neu auszubauen. Restaurantbesitzer entwerfen frische Speisenkarten, Strandkorbvermieter flicken ihre Strandkörbe, Gästeführer denken sich neue Erkundungstouren aus.

Da nicht mehr jedes Wochenende durchgearbeitet werden muss, bleibt natürlich mehr Zeit, die sozialen Kontakte zu pflegen.

Es stimmt tatsächlich, dass viele diesbezügliche Termine auf die dunkle Jahreszeit verschoben werden. Wenn man in der Nebensaison durch Westerland bummelt, trifft man oft mehr Einheimische in der Fußgängerzone als im Sommer. In der Nebensaison nimmt man sich Zeit für einen Plausch, was ganz besonders auf dem kleinen Wochenmarkt vor dem Westerländer Rathaus deutlich wird. Die Sylter besuchen ihre Restaurants, die jetzt keine zwei Schichten mehr fahren und für die man im Gegensatz zum Sommer auch keine Reservierung benötigt. Wer ins Kino geht, wird das Glück haben, in dem 260 Personen fassenden Vorführraum ein Dutzend Einheimische zu treffen, die logischerweise Haufenbildung betreiben, weil es so gemütlicher ist. Und die Sylter gehen am Strand spazieren, den sie im Sommer manchmal wochenlang nicht sehen, weil einfach keine Zeit dafür bleibt.

In den Wochen vor Ostern verändert sich dann diese behagliche Stimmung. Plötzlich laufen alle wieder schneller, und der Schlachtruf »Nun ist ja bald Saison« ist die von allen akzeptierte Entschuldigung für die Eile, die jetzt wieder alle erfasst. Auch das Publikum, das jetzt auf die Insel reist, verändert sich. Eine über Jahrzehnte gewachsene Sylter Erkenntnis lautet knapp: Im Sommer Nivea, im Winter Niveau.

Wenn man dann von Keitum nach Westerland mit dem Auto nicht mehr acht Minuten fährt, sondern 25 Minuten braucht, um von A nach B zu kommen – ja, dann ist Saison!

Und diese Saison wird auch ersehnt, nicht nur, weil dann der Rubel wieder rollt. Sylt kann in den Wintermonaten zauberhaft sein, aber verglichen mit dem Trubel »zur Saison« eben auch sterbenslangweilig.

Wenn Saison ist, kann man das Gefühl haben, die Welt komme auf die Insel. Man sieht verrückte Leute, die man weder in Niebüll noch in Hamburg, ja nicht einmal in Düsseldorf treffen würde. Die Geschäfte haben jeden Tag geöffnet, und man muss sich, wenn man einkaufen will, nicht darauf konzentrieren, ob vielleicht gerade Wochenende ist. Und es gibt endlich wieder ein Kulturangebot. Das kann sich nicht immer mit Großstädten messen, aber für eine Insel auf dem platten Land mit nicht einmal 20 000 Einwohnern sind die gezeigten Kunstwerke in den Galerien und Kunsträumen sensationell, und die Angebote der Tourismusservices (Kurverwaltungen hörte sich irgendwie netter an) sind auch nicht immer von schlechten Eltern. Mit großer Freude wird das Meerkabarett erwartet, trifft man hier doch Künstler, die man vom Fernsehen kennt und die sonst nur in Großstädten auftreten.

Wenn man dann endlich Zeit hat, abends mal auszugehen, aber feststellen muss, dass alles dicht hat und die Künstler ihre Zelte abgebrochen haben, dann ist wieder »nach der Saison« oder »vor der Saison«. Dann fliegt man erst einmal in den Urlaub, um dort andere Sylter zu sehen, die man das ganze Jahr nicht getroffen hat, und ist man zurück auf der Insel, geht das Ganze von Neuem los.

Gastronomie

Unlängst fuhr ich in eine Kleinstadt nach Süddeutschland, um mich auf einer Jahreshauptversammlung des Bundesverbandes der Gästeführer in Deutschland (ja, so etwas gibt es! Schauen Sie unter www.bvgd.de nach!) zu vergnügen. Die örtlichen Taxiunternehmen hatten in kürzester Zeit das Potenzial dieser Tagung erkannt, und mein freundlicher Fahrer, der mich vom Bahnhof abholte, begrüßte mich mit den Worten: »Und wo kommen Sie so her?« »Sylt«, antwortete ich fröhlich, und nach einer kleinen Pause hörte ich ihn antworten: »Kenn ich, das ist die Sansibar-Insel.« Hast du Worte! Ich meine, davon träumt man doch als Unternehmer! Stellen Sie sich vor, München läuft unter Tantris-Town, und zu Hamburg fällt einem nicht mehr Hansestadt, sondern Polettostadt ein!

Für alle, die tatsächlich nicht wissen, wovon ich schreibe (bitte melden Sie sich in diesem Falle bei mir. Das wäre eine ähnlich aufregende Entdeckung wie eine neue Unterart der Pantoffelschnecke): »Sansibar« ist der Name eines Strandrestaurants im Süden der Insel. Von außen eine relativ schlichte Holzhütte, innen recht rustikal, angeblich mit Skihüttenatmosphäre. Aber das ist eher Tarnung, in Wirklichkeit verbirgt sich unter der »Hütte« einer der erstklassigsten Weinkeller unserer Region und hinter der Wand zum Tresen eine professionelle Küche, die am Tag Tausende von Essen ausgibt. Das Symbol dieser gesegneten Einrichtung sind zwei gekreuzte Säbel, die inzwischen bekannter sind als die der Firma Meissen, weil sie auf zahllosen Merchandiseprodukten prangen, und zwar nicht dezent auf deren Unterseite, sondern fett auf der Front.

»Die Sansibar«, wie das Restaurant genannt wird, ist ein Phänomen, das ich Ihnen nicht erklären kann. Warum manche Wirtshäuser brummen und andere nicht, obwohl sie auch nicht schlecht sind, habe ich noch nie verstanden. Sansibar brummt nicht nur, sondern ist DER Treffpunkt der Bunte- und Gala-Schickeria. Diese, die begeisterten Leser dieser Journale und viele, viele andere fühlen sich dort richtig wohl, und das hat – außer dass man dort wirklich sehr lecker essen kann – sicher mehrere Gründe.

Einer davon ist Herbert Seckler, dem das Restaurant gehört. Seine Karriere auf Sylt erinnert an die Geschichten von amerikanischen Tellerwäschern. Er kam Anfang der 1970er-Jahre auf die Insel und betrieb u. a. eine Pommesbude auf dem Tinnumer Campingplatz. Dreißig Jahre später wurde er vom Burda Verlag zum Träger der »Goldenen Feder« befördert, weil er »Medienmenschen Raum für Begegnungen gibt«. Das ist schon eine selten gute schwäbische Karriere.

Dass so ein Erfolg auf Sylt allerdings nicht nur Schwaben gelingt, dafür ist Jürgen Gosch, der aus dem nordfriesischen Tönning stammt, ein glänzendes Beispiel. »Lass uns einen goschen gehen« ist Synonym für »Wir essen heute ein Fischbrötchen« geworden. Jürgen Gosch, der eigentlich Maurer ist, soll es seinen damaligen Rückenproblemen zu verdanken haben, dass er als Fischpapst von Sylt in die Geschichte eingehen wird.

Was dem einen die Pommesbude, war dem anderen eine Schubkarre, mit der er in den 1960er-Jahren als mobiler Strandverkäufer die Sonnenhungrigen mit Räucherfischprodukten sättigte. Ansonsten ist die Geschichte der beiden nicht unähnlich, nur dass Gosch mehr als nur eine Hütte auf Sylt betreibt.

Sein Hauptsitz ist seit Langem List, was Folgen hat, denn das Hafenambiente und die Firma Gosch haben sich fast symbiotisch verändert. Die alte Bootshalle, die Platz für 270 Gäste bietet, muss man sich wie ein maritimes Hofbräuhaus vorstellen. Dazu seine »nördlichste Fischbude Deutschlands«, die längst keine mehr ist, denn an ihrer Stelle ist ein neuer *Fischtempel* entstanden, der mit seinem Panoramadeck den Hafenplatz überragt. Gegenüber, in der Alten Tonnenhalle, gibt es noch ein hauseigenes Shoppingparadies, und an schönen Tagen, als wenn das alles nicht reichen würde, steht auf dem Platz davor eine Gosch-Stretch-Limousine mit ausklappbarer und -fahrbarer Theke. Auf sämtlichen Produkten prangt ein roter Hummer, ein echter Hammer.

Dass, wer ein erfolgreicher Gastronom werden will, sich nicht länger als ein paar Tage von seinem Tresen entfernen sollte, haben beide verstanden.

So begrüßt Herbert Seckler täglich selbst seine Gäste, und auch »Jünne« Gosch findet man fast immer in seinem Revier. Leicht zu erkennen an der Doppelreihe kleiner roter Kugelknöpfe auf seiner weißen Joppe – mit rotem Hummer.

Zwischen den beiden Gastronomen gibt es manch eine Parallele. Der eine hat eine Kooperation mit der MS Europa, auf der sich eine Dependance der Sansibar befindet, Gosch beglückt die Gäste der MS Galaxy mit seinen Fischen. Fährt man mit der Bahn oder fliegt mit Air Berlin, wird man den Sansibar-Säbeln kaum entgehen können, kommt man in Berlin, Hamburg oder Frankfurt an, warten schon die roten Hummer.

Da schätzungsweise jeder Sylt-Gast ein Fischbrötchen von Gosch verspeist oder einen irgendwie gearteten Kontakt zu einem Sansibar-Produkt hat, darf man die beiden getreu dem Motto »Mitleid gibt's umsonst, Neid muss man sich erarbeiten« von Herzen beneiden.

Neben diesen beiden gastronomischen Sylter Platzhirschen gibt es auf Sylt aber noch zahlreiche andere Restaurantbetreiber, die sich zum Ziel gesetzt haben, das Kaloriendefizit der Gäste auszugleichen. Wenn auch mit zurückhaltenderen Methoden. Begnadete Sterneköche wie Jörg Müller oder Johannes King verwöhnen die Gaumen ihrer Anhänger, die eine Urlaubsbuchung von der geglückten Reservierung in einem der insularen Edelrestaurants abhängig machen. Diesbezüglich ist die Insel wirklich gesegnet. Wenn man sich vor Augen führt, dass sich Berlin mit seinen 3,4 Millionen Einwohnern mit dreizehn Gourmetsternen schmücken kann, die Insel Sylt mit nicht einmal 20 000 Einwohnern hingegen mit neun Sternen (2013) an den Start geht, dann wird deutlich, auf was für einem Niveau hier gespeist werden kann.

Beliebt ist auch die wachsende Anzahl der Strandrestaurants mit direktem Blick aufs offene Meer und damit zu späterer Stunde auf den Sonnenuntergang. Entsprechend dem Publikum bietet die Küche hier gerne mediterrane Kreationen an, also eher leichte Küche, denn wenn die

Gäste sommers am hitzeflimmernden Strand liegen und ihrer sich ankündigenden Unterzuckerung entgegensteuern wollen, wäre Roulade mit Rotkohl nicht unbedingt sinnvoll.

Eher deftig geht's hingegen auf der anderen Seite zu. Im Sylter Osten ist mir noch kein Restaurant untergekommen, das »Teller-Ikebana« zelebriert. Hier kann man, wie beispielsweise in den Fränkischen Weinstuben von Morsum, noch Birnen (von Erikas altem Baum), Bohnen und Speck bestellen, Schmalzbrot oder zum Nachtisch Futjes – eine friesische Variante des Schmalzgebäcks, das in besonderen Futjespfannen ausgebacken wird.

Wer hingegen Vegetarier ist, der muss sich durchschlagen: ein Restaurant, in dem weder Fleisch noch Fisch angeboten werden, gibt es (noch) nicht. Wobei allerdings die Zeiten von Speisenkarten, die verkünden: »Speck mit Bohnen« und unter dem Stichwort »Vegetarisch: Bohnen mit Speck«, auch vorbei sind.

Abgesehen von diesem Defizit – wenn ich von meinen Reisen auf die Insel zurückkehre, dann darf ich immer wieder feststellen, was für ein vielfältiges und gutes Angebot wir in unseren Sylter Restaurants haben, und ich sage das nicht als Lokalpatriotin.

Diese Restaurantvielfalt wird auch von den Insulanern als Bereicherung empfunden, denn die Gerichte der Friesen beschränkten sich in den früheren Jahrhunderten im Wesentlichen auf Grütze, Kohl- und Fischgerichte.

Heutzutage beliebte Leckereien wie der »Friesenkeks« sind übrigens mitnichten unbedingt Küstenprodukte. Ein Konditormeister aus Weimar, der sich in eine Sylterin verliebte und in Westerland ein Café eröffnete, ließ sich das Rezept für die Butterkekse um 1900 einfallen. Dagegen scheint die »Friesentorte« schon eher echt zu sein, nur der Name ist falsch. Die Torte, die aus zwei kalorienfeisten Blätterteigscheiben besteht, die einer Schicht Zwetschgenmus und einer weiteren Schicht Schlagsahne die nötige Haltbarkeit geben, müsste eigentlich »Angriff auf die Taille« heißen. Auch der berühmte Friesentee wird leider nicht an der norddeutschen Küste angebaut oder geerntet. Friesentee bedeutet vielmehr eine Zubereitungsform, die mit der schlechten Trinkwasserqualität früherer Zeiten zu tun hatte. Das Wasser war, insbesondere auf den Halligen, wo man Regenwasser sammeln musste, dunkel und oftmals brackig, sodass nur ein sehr kräftiger schwarzer Tee mit viel Sahne eine Geschmacksnote zauberte, die man aushalten konnte.

In harten Wintern wurde auf Sylt aber durchaus auch gehungert. Deshalb hieß es *Ten Steken Bruar sen Bötertiiwer* (Dünne Brotscheiben sind Butterdiebe).

Doch das ist längst Geschichte. Heute würde man es selbst mit dem nötigen Kleingeld in der Tasche nicht schaffen, allen Restaurants der Insel in seinem Urlaub einen Besuch abzustatten.

Sylter Frauenpower

Die Insel hat bemerkenswerte Frauenspersonen hervorgebracht. Hätte beispielsweise Ina Müller nicht in einer Sylter Apotheke gejobbt, sondern Kopfschmerztabletten auf Borkum verkauft, wäre das deutsche Fernsehen vermutlich um ein Showtalent ärmer.

Und wer weiß schon, dass die erste deutsche Zahnärztin mit dem zungenbrecherischen Namen Henriette Hirschfeldt-Tiburtius als Tochter eines Pastors 1834 in Westerland geboren wurde? Eine Biografie, die ich am liebsten umgehend verfilmen würde. Henriette war ein aufgewecktes Mädchen, das das Glück hatte, vom Vater unterrichtet zu werden, und so nicht nur lesen und schreiben lernte. Als junge Frau hatte sie den Mut, sich von ihrem gewalttätigen Mann scheiden zu lassen, auch wenn damit der gesellschaftliche Status ruiniert war. Als geschiedene, alleinstehende Frau von Mitte dreißig, bar jeglicher finanzieller Mittel, versuchte sie sich in Berlin durchzuschlagen.

Wider alle Erwartungen fand sie einen Mäzen, der ihr die Chance gab, sich einen Traum zu erfüllen. Sie wollte Zahnärztin werden, obwohl es in ganz Preußen nicht mehr als ein paar unstudierte Dentisten gab. Oder vielleicht gerade deshalb. Trotz fehlender Englischkenntnisse segelte sie quer über den Atlantik (wenn man Teunis-Blut aus Wenningstedt in den Adern hat, ist das kein Problem), um in Philadelphia zu studieren. Amerika begann mit einer bitteren Erfahrung, denn auch im Land der unbegrenzten Möglichkeiten war den Frauen ein Studium untersagt. Wie sie es schaffte, die Professoren umzustimmen, ist mir ein Rätsel, aber sie sollte mit Auszeichnung ihr Studium abschließen und später in Berlin eine eigene Praxis eröffnen, in der sie sogar Mitglieder der kaiserlichen Familie behandelte. Was für eine Karriere!

Die Geschichte von Petra Reiber, die 1991 auf die Insel kam und die erste hauptamtliche Bürgermeisterin Schleswig-Holsteins wurde, passt gleichfalls in diese Rubrik, und man könnte sie ebenso gut verfilmen. Als junge Frau zur Westerländer Verwaltungschefin berufen, weil die Mandatsträger der Politik sich vermutlich keine starke Laus in den Pelz setzen wollten, straft die parteilose Juristin schon bald alle Vorurteile Lügen. Sie gewinnt schnell an Profil und wird zum Inselgespräch, weil sie einen Frauenstammtisch begründet und ihr Mann, den sie angeblich über eine Kontaktanzeige kennengelernt hat, bereit ist, ihren Namen zu tragen.

Die Kontaktanzeige, die alle Gemüter erhitzte, ist eine oft kolportierte Geschichte. Die Wirklichkeit ist jedoch erheblich origineller, denn ihr Mann war sozusagen das »Nebenprodukt« einer juristischen Recherche über das Geschäftsgebaren von Partnerschaftsinstituten, die damals ihren ersten Boom erlebten.

So viel weibliches Selbstbewusstsein hatte die kleinbürgerliche Politprominenz der Insel jedenfalls noch nicht gesehen. Bundesweit in die Schlagzeilen gerät Frau Reiber, nachdem ihr Ehepartner kurz nach der Geburt des dritten Kindes spurlos verschwindet. Über ein Jahr weiß sie nicht, ob ihr Mann noch lebt, man schließt ein Verbrechen nicht aus, weil in der Nähe des aufgefundenen Wagens ihres Mannes Schussspuren zu finden sind. Die Polizei steht vor einem Rätsel, und die Staatsanwaltschaft verdächtigt vorsorglich jeden und damit auch die Ehefrau.

Eine nahezu unerträgliche Situation, die man, wenn man Ähnliches noch nicht durchmachen musste, wohl kaum nachempfinden kann. Schwer, in dieser Krise nicht zu verzweifeln, weiterhin als Ansprechpartner zur Verfügung zu stehen, und das nicht nur für die Kinder.

In ihrer Not schaltet sie Eduard Zimmermann ein. Und das Unglaubliche geschieht. Ihr untergetauchter Mann wird 1997 durch die Sendung »XY ungelöst« in Wiesbaden erkannt.

Damit hat die lähmende Ungewissheit endlich ein Ende, aber als alleinerziehende Mutter dreier Kinder nach diesen Ereignissen weiterhin »seinen Mann zu stehen« verlangt mehr als Zuversicht und Lebensmut. Petra Reiber, die stolz darauf ist, eine verzopfte Verwaltung in ein modernes Dienstleistungsunternehmen verwandelt zu haben, ist mittlerweile die dienstälteste Bürgermeisterin Schleswig-Holsteins. Sie hat aber angekündigt, 2015 nicht mehr zu kandidieren, obwohl sie von den Bürgern der neuen Großgemeinde mit über 70 Prozent der Stimmen wiedergewählt wurde, nachdem sie 2009 eine Fusion der Sylter Gemeinden größtenteils umsetzen konnte. Ein Kraftakt, der aber nicht ohne Spuren an der engagierten Frau vorübergegangen ist.

Von Merret Lassen, dem Gebärwunder aus Rantum, werden Sie noch im Kapitel »Rantum« lesen. Mit ihrem Selbstbewusstsein und ihrer zupackenden Art war sie kein Einzelfall. Wenn ich mir die Biografien der Sylterinnen des 18. Jahrhunderts ansehe, bleibt nur Hochachtung. Es sind Frauen, die in eine unsentimentale Gesellschaft hineingeboren werden, in der der Mann das Sagen hat, die aber dennoch recht selbstbestimmt leben. Während in anderen Regionen Europas die Familien und Väter anordnen, wen die Tochter zu heiraten hat – auf Sylt sagt das Mädel »den oder keinen«, und die Familie ist in der Regel einverstanden. Der Grund für diese außergewöhnliche Selbstständigkeit hängt mit den wirtschaftlichen Verhältnissen auf unserem Eiland zusammen.

Schon im 17. Jahrhundert begannen die Insulaner für holländische oder Hamburger Reeder zu arbeiten. Anfänglich auf Walfängern, die nach Grönland segelten, später auf Handelsschiffen, die bis nach Südostasien vordrangen. Nach schwierigen Anfängen brach dann im 18. Jahrhundert die sogenannte goldene Zeit auf Sylt an. Damals wurde auf dem Meer so viel verdient, dass die Insulaner gut davon leben konnten. Allerdings wurde dieser Reichtum mit unendlich viel Leid, Trauer und Tränen bezahlt, weil zahllose Männer auf See blieben. Auch diese Erfahrung hat sich im Schatz der Sprichwörter niedergeschlagen: *Beeter en Skeling üp Lön' üs en Daaler üp See.* (Lieber einen Schilling auf dem Lande verdient als einen Taler auf See).

Die Frauen waren die Hauptleidtragenden. Während der Fahrenszeit der Männer waren sie auf sich gestellt. War man mit einem Grönlandfahrer verheiratet, konnte man hoffen, ihn wenigstens im Winter bei sich zu haben, weil der Walfang nur im Sommer betrieben werden konnte. War der Mann ein Handelsseefahrer, sah es schlechter aus. Die

Reisen dauerten nicht nur Wochen und Monate, sondern oftmals Jahre. Es gab während der Abwesenheit der Männer keine Möglichkeit der Kommunikation, was blieb, war das Warten darauf, dass er wiederkam. In der Zwischenzeit mussten die Frauen die Landstelle versorgen, für die Kinder in einer Person Vater und Mutter sein, hatten Geschäfte zu regeln und Entscheidungen zu treffen. Es gibt recht wenige alte Quellen, die dieses Leben der Frauen beschreiben. Aber das, was man lesen kann, ist bemerkenswert. Ein Landvogt notiert um 1790: »Die Sylterinnen sind übrigens sehr fleißig. Feld, Garten, Vieh und Hauswirtschaft beschäftigen sie unaufhörlich. Sie spinnen vom Morgen bis in die Nacht, selbst wenn sie krank sind, und ihre Hände scheinen noch stricken zu wollen, wenn die Seele bereits entflohen ist.« Ich glaube, das war nicht so witzig gemeint, wie es sich anhört. »Ein Frauenzimmer auf Sylt ist unstreitig das arbeitsamste der gesamten Welt«, notierte ein weit gereister Kapitän, der es wissen musste, und ein Reisender vermerkt 1844: »Die Frauen sind hier zugleich regierende Herren und geplagte Sklaven, emancipieret und geknechtet.«

Eine äußerst treffende Formulierung, denn so erstrebenswert Unabhängigkeit auch ist, bequem ist sie nie.

Ungezählte Frauen dieses Zeitalters haben ihre Väter nie kennengelernt, weil sie kurz nach der Geburt ihres Kindes mit einem Schiff untergingen oder vermisst wurden und nie wieder auftauchten. Nur selten kam es vor, dass die Männer – nach 20-jähriger Abwesenheit längst für tot erklärt – plötzlich wieder in der Tür standen. Vermutlich nicht in jedem Fall zur Freude der Ehefrau … Manche Sylterin hatte neben Vater und Brüdern auch Söhne und Ehemann zu betrauern. Vielleicht war es ganz gut, wenn die Arbeit nie ein Ende hatte. »Goldene Zeit« – das hört sich so behaglich an, aber ich glaube, die Frauen hatten es oft ungemütlich.

Die Folgen dieses demografischen Ungleichgewichts (die Dörfer hatten oft einen Frauenüberschuss von 40 %) führten zwar nicht dazu, dass die Frauen ebenfalls zur See fuhren, aber ansonsten standen sie den Männern bald in nichts mehr nach. Es entwickelte sich ein Frauentypus, der im Haus die Hosen anhatte. Und wenn sich auch später die wirtschaftlichen Verhältnisse änderten, dabei blieb es.

Wenn ich mich heute auf Sylt umsehe, finde ich ungewöhnlich viele Frauen, die in dieser Tradition als Unternehmerinnen erfolgreich und kreativ sind. Die sich nicht die Butter vom Brot nehmen lassen und zu den wirtschaftlichen Säulen der Insel zählen. Die die Familie versorgen und sich außerdem noch ehrenamtlich engagieren. Sylter Tafel, Sylter Telefonseelsorge, Sylter Hospiz, Sylter Krankenhausseelsorge (ja, das alles gibt es auf der Insel!) – es sind meist die Frauen, die in diesen unverzichtbaren Einrichtungen arbeiten.

Aber wie war es einst möglich, dass in einer noch immer patriarchalisch geprägten Gesellschaft, selbst wenn ein Frauenüberschuss herrschte, die Frauen über ihre Partnerwahl entscheiden konnten?

Stellen Sie sich die Epoche der Seefahrt vor. Der Winter naht, und viele junge Seeleute kehren auf die Insel zurück. Jetzt ist endlich Zeit, das Haus zu bestellen und eine Frau zu finden. Dafür schleichen die Jungs am Ende des Tages, im Halbdunkeln – vermutlich sehr aufgeregt – um die Häuser ihrer Angebeteten. *Halevjunkendranger* (was man mit »Halbdunkeljungs« übersetzen könnte) nennt man sie auf Friesisch. Wenn der Mut reicht, klopfen sie an die betreffende Haustür, und die Familie, die natürlich längst wartet – das Mädel soll ja unter die Haube kommen! – begrüßt den Werber freudig. Es gab damals oft nur einen einzigen geheizten Raum in den Friesenhäusern, das war die

Küche, manchmal auch die Wohnstube. Hier bittet man den Ankömmling Platz zu nehmen. Wenn er Pech hatte, saß auf der Bank bereits der eine oder andere Nebenbuhler. Dann hieß es, gute Miene zum bösen Spiel zu machen und erst einmal den angebotenen Tee zu trinken und friesischen »Small Talk« zu treiben. Wenn auch jeder im Raum wusste, worum es ging, angesprochen wurde das Thema nicht. Erst zu späterer Stunde fiel die Entscheidung, denn irgendwann mussten die jungen Männer ja nach Hause. Sie verabschiedeten sich und taten das wohlweislich nacheinander, denn jetzt sollte sich herausstellen, wer das Rennen um die junge Friesin gewinnen würde. Sie hatte die Aufgabe, die Bewerber zur Haustür zu bringen. Und die lag im dunklen Flur, der uneinsehbar von Küche oder Stube war. Hier hatten die zwei nun die Möglichkeit, sich alles zu sagen, was gegebenenfalls zu sagen war. Kam er nicht infrage, wird sie wohl nur die Tür aufgerissen und ihn mit einem »Faarwell« auf den Lippen verabschiedet haben. Das bedeutete für die anderen Jungs auf der Bank, das Rennen war noch nicht zu Ende. Neue Chance, neues Glück.

Wenn der Richtige mit ihr im Flur stand, dann war man auf Sylt nicht prüde. Küssen vor der Ehe war nicht unschicklich. Ungewöhnlich daran ist, dass es ein Tabu war, diese Zweisamkeit zu stören. Auch wenn die Angelegenheit länger dauerte.

Am folgenden Sonntag gingen die beiden dann gemeinsam durchs Dorf. »Inge und Uwe gehen spazieren«, hieß es dann, und das war nichts anderes als eine Verlobungsanzeige.

»Willst du mit mir gehen?« Diese Frage meines ersten Freundes aus Kindertagen habe ich noch im Ohr. Was diese Formulierung bedeuten kann, habe ich aber erst auf Sylt begriffen.

Von Naturschätzen und -schützern

Das Großartigste, was die Insel zu bieten hat, ist ihre Natur, mögen im Sommer auch noch so viele Konzerte veranstaltet werden, Schriftsteller aus ihren Werken lesen und Kabarettisten sich bemühen, den Syltern und ihren Gästen ein Lächeln zu entlocken. Abgesehen davon, dass das fast alles importierte Kunst ist, die mit Sylt so viel zu tun hat wie die hiesige »Sansibar« mit Afrika, wird vermutlich kaum jemand auf die Insel fahren, um sich hier von Gudrun Landgrebe etwas vorlesen zu lassen oder mit den Harlem Gospel Singers in der Morsumer Kirche zu feiern.

Der rund 40 Kilometer lange Sandstrand, die gewaltige Brandung, der unverbaute Horizont, das angenehme Klima – das sind schon eher Gründe, nach Sylt zu fahren und nicht nach Benidorm. Wer schon einmal einen Mondaufgang über dem Keitumer Wattenmeer oder einen glutroten Sonnenuntergang am Roten Kliff erlebt hat, weiß, wie berührend es sein kann, wenn uns die Natur tief im Herzen trifft.

Wobei die Antwort auf die Fragen »Was ist Natur?« und »Wie viel brauchen wir davon?« ganz unterschiedlich ausfällt, und zwar sowohl bei Gästen als auch bei Einheimischen.

Es waren nicht die Insulaner selbst, sondern Inselliebhaber, die dafür sorgten, dass schon in den 1920er-Jahren die nördliche Dünenlandschaft von Sylt, das Listland, und das Morsum Kliff (das mittlerweile zu einem Geotop erhoben wurde) unter Schutz gestellt wurden. In den 1930er-Jahren kamen noch einige Heidegebiete bei Kampen hinzu. Dann fiel der Naturschutzgedanke fürs Erste in den Dornröschenschlaf.

Die nächste große Naturschutzbewegung startete in den 1970er-Jahren. Und hatte ihren Ausgang, man glaubt es kaum, in Schleswig-Holstein, wo Baldur Springmann als erster Ökobauer ab 1960 einen Hof nach ökologischen Gesichtspunkten bewirtschaftete und 1978 die Grüne Partei gründete. Die, wie wir heute wissen, die politische Landschaft umkrempeln sollte. Hätte seinerzeit jemand vorhergesagt, dass einer ihrer Protagonisten dem deutschen Volk dereinst als Außenminister die Welt erklären würde – man hätte ihn zweifelsohne in ärztliche Behandlung geschickt.

Die grüne Bewegung in Schleswig-Holstein brauchte allerdings Zeit. Wie das Schleswiger Kaltblut sind auch die Menschen hier eher etwas schwerfällig. Aber von den heute elf Naturschutzgebieten der Insel wurden ganze sieben dann in den 1970er-Jahren eingerichtet. Von so viel Erfolg beflügelt, blickten Naturschützer auch über den Inselrand aufs Meer hinaus. Aber es gab beträchtliche Widerstände aus den Reihen der Nordfriesen, nur schrittweise gelang es, im Jahre 1985 auch endlich das an die Insel angrenzende

Wattenmeer zum Nationalpark zu erklären. Für manch einen Einheimischen stand nun der Untergang des Abendlandes bevor. Deshalb brauchte es viele Jahre weiterer harter und massiver Auseinandersetzungen zwischen Naturschutzenthusiasten und zahlreichen Naturnutzer-Gruppen, bis 14 Jahre später erfreulicherweise auch große Bereiche der offenen Nordsee unter Schutz gestellt wurden, um die Kinderstube der Schweinswale und Robben vor Störungen wie beispielsweise dem Bau von Offshore-Windkraftanlagen zu schützen. Ganz ehrlich, hätten Sie das gewusst? Dass vor Sylt ein Wal(!)schutzgebiet liegt?

Aber damit zum Glück nicht genug. 2009 erhielt der gesamte Nationalpark Wattenmeer inklusive des Seegebietes bis zur Zwölfmeilenzone sogar das Prädikat »Weltnaturerbe« von der UNESCO. Die Friesen haben den Oscar für Naturlandschaft bekommen! Vor ihrer Tür liegt sozusagen das friesische Great Barrier Reef. Was die Friesen bislang aber nicht sonderlich beeindruckt hat, denn wenn man fast täglich Schweinswale, Seehunde, Kegelrobben, Knutts (das sind Strandläufervögel) und Halligfliedersalzwiesenrüsselkäfer beobachten, sich seine Austern zum Abendessen schnell selber sammeln oder auf einer Milliarde ausgewachsener Wattwürmer rumtrampeln kann, erschließt sich einem die Einmaligkeit dieses Naturraums vermutlich erst so richtig, wenn man als Sylter den eigenen Urlaub einmal an der Costa del Sol oder am Timmendorfer Strand verbracht hat.

Für die Vermarktung der Auszeichnung haben sich pfiffige Werbestrategen etwas sehr Nettes einfallen lassen. In Anlehnung an die »Big Five«, denen Großwildjäger in Afrika nachzustellen pflegten, wirbt man für das Weltnaturerbe Wattenmeer mit den »Small Five« und den »Flying Five«. Dahinter verbergen sich im ersten Fall Wattwurm,

Herzmuschel, Strandkrabbe, Wattschnecke und Nordseegarnele, die »Flying Five« sind Alpenstrandläufer, Brandgans, Austernfischer, Silbermöwe und Ringelgans.

Um von den »Big Three« (den drei größten Tieren) des Wattenmeeres, Kegelrobbe, Schweinswal und Seehund, nicht beeindruckt zu sein, muss man schon Autist sein. Sich aber für die kleinen und fliegenden Fünf zu begeistern, ja, dazu gehören schon eine gewisse Portion Sensibilität, Feingefühl, ein gutes Fernglas oder eine der netten Naturführungen durch die örtlichen Naturschutzverbände.

Mittlerweile sind auf Sylt rund 45 Quadratkilometer der Landschaft geschützt. Damit sind rund 30% der Inselfläche Naturschutzgebiete, der Rest fällt immerhin unter Landschaftsschutz. Diese Obhut hat sich außerordentlich segensreich ausgewirkt, nicht nur weil man dadurch auf Sylt die größte Population der geschützten Kreuzkröte nachweisen kann oder hier das größte zusammenhängende Gebiet an Krähenbeerenbewuchs ganz Deutschlands findet.

So einen Schatz gilt es zu hegen und zu pflegen, was bedauerlicherweise nicht jeder begreift. So plant beispielsweise der örtliche Energieversorger der Insel tatsächlich eine Süßwasserentnahme in großem Stil in den geschützten Dünengebieten des Listlandes mit seinen kostbaren Feuchtgebieten der Dünentäler. Die Probebohrungen in diesem Areal, die interessanterweise erfolgten, ohne dass man im Vorfeld die Naturschutzverbände informierte, waren vielversprechend. Nicht nur dieses Beispiel zeigt, dass sich die Zeiten geändert haben. Geschützte Bereiche sind kein Tabu mehr. Die Vorstellung, dass in naher Zukunft am westlichen Horizont der Insel riesige Offshore-Windräder stehen werden, regt – und das ist das eigentliche Problem – nur wenige auf. Ob der fehlende Protest mit mangelndem Engagement für die Natur zu tun hat, vermag ich nicht zu beurteilen. Aber Naturschutz bedeutet auch Verzicht und Einschränkungen, und vielleicht handelt es sich darum eher um ein gesellschaftliches Problem.

Für Sylter und ihre Gäste sind die freien, unbebauten Gebiete zweifellos ein Geschenk. Und oft ist man viel schneller in einem Naturschutzgebiet unterwegs, als man es selbst merkt. Was manch einen Landschaftswart zur Verzweiflung treibt, denn wer als Strandgänger heimkehrt und nicht gerade in Westerland wohnt, durchläuft die Schutzgebiete, oftmals ohne es zu ahnen. Aber wer auf der Insel auf den offiziellen Wegen bleibt, seinen Hund anleint und sich ansonsten einfach so verhält, wie er es sich von seinen Freunden wünschen würde, wenn er sie in seine frisch angelegten Beete und Staudenrabatten führt, macht nix falsch.

Und wie steht der Insulaner mittlerweile dem Naturschutz gegenüber? Die meisten haben ihre anfängliche Skepsis und Ablehnung über Bord geworfen.

Hur aaft waar, wat wü üs Ünlek taacht, fan Got töbeek üs Früger braacht. (Wie oft wurde das, was uns als Unglück vorkam, vom Herrgott in Freude verwandelt.)

Aber mein Mann, der seinen Zivildienst bei der Schutzstation Wattenmeer im Süden der Insel leistete, fährt noch heute lieber in den Inselnorden. So einschneidend sind seine Erinnerungen an die Konflikte mit jenen Syltern, die eine Naturschutzarbeit für völlig überflüssig hielten und in den 1970er-Jahren die alternativ angehauchten Zivildienstleistenden für Spinner hielten, deren jugendliche Leidenschaft für die Natur der Insel sie als Flausen ungewaschener und langhaariger »Klookschieter« ablehnten.

Was kreucht und fleucht denn da?

Wenn man den Biologen glauben darf, gibt es auf der Insel und in den angrenzenden Gewässern schätzungsweise 6000 verschiedene Arten lebender Wesen. Ohne den Papagei meiner Schwiegermutter und ohne die Hängebauchschweine des Tierparks. Allein die verschiedensten Geschöpfe des Strandes sind so zahlreich, dass man den Vergleich mit einem Buchenwald in Mitteldeutschland wagen darf, wenn es um die Artenvielfalt geht. Das heißt, unter Ihrem Badehandtuch am Strand wird im übertragenen Sinn so richtig gekegelt. Selbst wenn man Kleinstalgen oder Minipilze außer Acht lässt, kann man immer noch von rund 4000 Arten sprechen, die mit dem bloßen Auge sichtbar sind.

Ich frage mich bei dieser Zahl erschüttert, wie eingeschränkt meine Wahrnehmung ist.

Mal ehrlich, was fällt Ihnen ein, wenn Sie beispielsweise an die Sylter Vogelwelt denken? Möwe ist sicherlich das erste Stichwort. Aber Möwe ist ja nicht gleich Möwe. Den hiesigen Küstenhimmel bevölkern Silbermöwen (das sind die, die hinter Ihrem Eis oder Ihren Crêpes her sind), Lachmöwen, Sturmmöwen, Heringsmöwen oder Mantelmöwen. Dass die Möwen allgemein »Emma« genannt werden, hängt im Übrigen mit einem Gedicht von Christian Morgenstern zusammen, dessen erste Strophe lautet: »Die Möwen sehen alle aus, als ob sie Emma hießen. Sie tragen einen weißen Flaus und sind mit Schrot zu schießen.« Letztere Bemerkung zeigt, wie sich die Verhältnisse seit dem (vor-)letzten Jahrhundert geändert haben. Und manch einer bedauert ehrlich, dass die Zeiten, als man die Flinte einsetzen durfte, vorüber sind. Warum? Die Vögel brüten vermehrt in Westerland auf den flachen Dächern im Innenstadtbereich, weil sie von den Lichtern und dem leicht zugänglichen Nahrungsangebot auf den Straßen und der Promenade angezogen werden. Der damit verbundene Lärm durch das Geschrei der Tiere und die Verschmutzung sind nicht unerheblich. So wie manche Städte ein Taubenproblem haben, hat Westerland ein Möwenproblem. Aber wenn Sie die Leserbriefe in der »Sylter Rundschau« (!) studieren, werden Sie erfahren, dass auf manch einen die Möwenlaute die gleiche Wirkung haben wie das Gezwitscher von Nachtigallen, während andere der Insel für immer die Freundschaft kündigen wollen, weil sie nachts kein Auge zukriegen.

Wer am Strand entlangläuft, wird auf der Höhe der Spülsäume kleine Kugelblitze auf zwei dünnen Beinchen beobachten können – Sanderlinge und Alpenstrandläufer suchen hier nach Nahrung. An der Wattenmeerseite trifft man eher auf den Säbelschnäbler mit seinem so schön nach oben gebogenen Schnabel oder den Brachvogel. Und fast überall darf man den fröhlichen flötenden Austernfischer auf seinen knallroten Beinen beobachten, der im Übrigen gar keine Austern isst. Er erhielt seinen Namen zu einer Zeit, als noch sämtliche Schalentiere des Meeres mit dem Begriff »ouster« bezeichnet wurden. Er hat sich mittlerweile so sehr an uns Menschen gewöhnt, dass er sogar neben mancher Straße brütet.

Wer auf Sylt an einer ornithologischen Wanderung teilnimmt, dürfte die Welt anschließend mit anderen Augen sehen.

Ganz anders die Tierwelt des Wassers. So darf Hörnum sich glücklich schätzen, im Hafen eine Kegelrobbe als Untermieter zu haben, die zur Hauptattraktion der Ortschaft avanciert ist. Willi wird sie genannt, obwohl längst bekannt ist, dass es sich um eine Wilhelmine handelt. Ein ausgesprochen intelligentes Tier, das schnell erkannt hat, wie man Gäste beglücken kann und dabei selbst beglückt wird. Wenn Willi mit ihren großen Glupschaugen aus dem Wasser schaut, fliegen ihr alle Herzen zu, und jeder spürt intuitiv: »Willi hat Hunger.« Davon profitiert der Hafenkiosk, der Rollmops & Co. im Angebot hat, in nicht zu unterschätzender Weise. Da Willi dem Hörnumer Hafen nun schon seit ein paar Jahren treu ist und nicht mehr nur sporadisch in den warmen Monaten aufkreuzt, haben sich die Verhältnisse der ersten Tage allerdings grundlegend verändert, denn alle haben dazugelernt.

Längst gibt es Willi vor Ort als Plüschtier in verschiedenen Größen zu kaufen, und der Kioskbetreiber bietet mittlerweile frischen *Hering in Tüte* für einen kleinen Obolus an. Willi, die ihr Gewicht verdoppelt hat, verlässt den Hafen nun auch im Winter nur noch selten. Sie dümpelt unter den Stegen vor sich hin und lässt sich durch Zurufe oder Menschentraubenbildungen so schnell nicht mehr locken. Hat allerdings jemand eine Tüte vom Kiosk in der

Hand – wie sie das mit ihren Glupschaugen unter dem Steg erkennen kann, ist mir ein Rätsel –, kommt Bewegung in das Tier. Bereitwillig schwimmt es aus der Deckung heraus und hypnotisiert mit seinem basedowschen Wasserblick die betreffende Person so lange, bis die Heringe dort landen, wo sie hinsollen, nämlich in Willis Maul. Dann verschwindet sie wieder in der Dunkelheit der Hafenanlagen, bis die nächste Tüte vorbeikommt.

Kegelrobben, so viel sei noch gesagt, sind insofern etwas Besonderes, als sie ihre Jungen im Winter auf den Sandbänken zur Welt bringen, Stürmen und Kälte zum Trotz. Erst seit den 1970er-Jahren gibt es westlich der Insel Amrum wieder eine Kolonie dieser Tiere. Und man darf sie nicht verwechseln mit den Seehunden, die ebenfalls die Sandbänke der Insel bevölkern und die man gut zu sehen bekommt, wenn man mit den Ausflugsschiffen eine Fahrt zu den Nachbarinseln und Halligen unternimmt.

Auf eine andere Gruppe von Meeresbewohnern trifft man auf Sylt allerorten, allerdings nicht in ihrem ursprünglichen Biotop, denn Steinbutt, Scholle oder Meerforelle kommen üblicherweise nicht in Restaurants vor. Und geben Sie sich um Himmels willen auch nicht der Illusion hin, die Fische, die Sie auf Sylt verspeisen, hätten irgendetwas etwas mit der Insel zu tun. Abgesehen von so wenigen Ausnahmen, dass es nicht erwähnenswert ist, werden die Restaurantfische von den großen Fischmärkten wie Esbjerg oder Altona angeliefert und sind vermutlich auch nicht frischer als das, was man in Stuttgart oder Bad Homburg bestellen kann.

Wer gerne wissen möchte, wie lebendige Schillerlocken durchs Wasser gleiten oder sauer eingelegter Brathering in natura aussieht, kann diese Wissenslücke im engagiert geführten Sylter Aquarium in Westerland füllen.

Ein Meeresprodukt allerdings, das in vielen Restaurants angeboten wird und das mit Sicherheit von der Insel stammt, ist unsere Auster, genannt »Sylter Royal«. Eine pazifische Sorte, die hier eigentlich gar nichts zu suchen hat. Aber da die Nordfriesen ihre eigenen Austernbestände längst auf dem Gewissen haben, weil man schon im 19. Jahrhundert Raubbau betrieb, behilft man sich jetzt mit dieser japanischen Variante, die sich in der Nordsee, allen ursprünglichen Prognosen zum Trotz, pudelwohl fühlt. So wohl, dass sie sich reproduziert, dass es eine wahre Freude ist – sofern man Austern liebt. Denn das, was mittlerweile im Wattenmeer zu beobachten ist, gleicht einer Invasion und ist für andere Tiere zur Bedrohung geworden. Die Auster setzt sich beispielsweise auf den Miesmuschelbänken fest und bildet mit ihnen sozusagen eine Zwangs-Wasser-WG. Dabei erstickt die WG-Bewohnerin Miesmuschel langsam unter ihrer dominanten Mitbewohnerin. Der schier unerschöpfliche Pool an Sylter Sprichwörtern bemerkt dazu: *Jü es sa dum üs en Skruk!* (Sie ist so dumm wie eine Auster!)

Mit dem Verschwinden der Miesmuschel wiederum kommen andere Tiere in Not, so wie die Eiderenten, die sich von dieser schwarzen Muschel ernähren und auch nicht auf die Auster umsteigen können, denn für deren harte Schale sind ihre Schnäbel nicht gemacht.

Aber es gibt im Wattenmeer noch andere Muscheln, zum Beispiel mit so wohlklingenden Namen wie Scheidenmuschel. Sie wanderte vor 35 Jahren hier ein, weil das Bilgewasser der Schiffe, die von Nordamerika nach Europa fuhren, mit ihren Larven gesättigt war. Einmal in die Freiheit entlassen, nahmen Natur und Larven ihren Lauf. Oder die Pantoffelschnecke, genauso ein Ami, die ebenfalls den Miesmuscheln das Leben schwer macht. Unwissentlich angesiedelt, weil ihre Brut auf einer amerikanischen Austernart saß, mit der man kurzfristig in Holland experimentierte. Selbst die seit Jahrhunderten hier ansässige Sandklaffmuschel wurde, so vermuten dänische Forscher, von den Wikingern aus Amerika ins Skagerrak verschleppt! Miesmuschel, Trog- und Herzmuschel gehören allerdings hierher.

Wer sich einer Wattwanderung anschließt, dem wird sich ein neuer Kosmos eröffnen, denn unter dem grauen Schlick herrscht verblüffenderweise das pralle, bunte Leben. Mir haben es ganz besonders die Bäumchenröhrenwürmer angetan, aber die sind so ausgefallen, dass man es hier unmöglich erklären kann. Machen Sie darum unbedingt eine geführte Wattwanderung mit, Sie werden die unglaublichsten Dinge erfahren. Beispielsweise dürfen Sie darüber staunen, dass Krabben sich schlangengleich häuten können und Seepocken in Wirklichkeit kleine Krebse sind, und erfahren, dass die Globalisierung auch im Wattenmeer, UNESCO Weltnaturerbe hin oder her, längst angekommen ist. Denn ob chinesische Wollhandkrabbe, warzige Seescheide – auch ein schöner Name –, japanischer Beerentang oder Schiffsbohrwurm, um nur wenige Tiere zu nennen, sie alle gehören zu den sogenannten Neobiota der Nordseeküste, die ihren Weg zu uns gefunden haben, weil der Mensch längst mit allen Ecken und Enden der Welt vernetzt ist. Das Wattenmeer erlebt seit den letzten 50 Jahren eine beispiellose biologische Invasion aus Amerika und dem Pazifik.

Außergewöhnlich an der Natur und Tierwelt auf der Insel selbst ist auch, dass man hier auf engstem Raum eine unübertroffene Vielfalt verschiedenster Lebensräume findet. Auf wenigen Hundert Metern können Sie vom Brandungsstrand in die Dünen wechseln, durchschreiten Heidegebiete und feuchte Dünentäler, bevor Sie auf der Ostseite der Insel auf die Salzwiese stoßen und von dort ins Sand-, Schlick- oder Mischwatt wechseln können. Und jeder dieser Lebensräume weist unvermutete Besonderheiten auf und ist auf seine Weise einzigartig.

Genaueres kann man u. a. in den Infozentren der Naturschutzverbände erfahren. Sehr informativ ist ein Besuch des *Erlebniszentrums Naturgewalten* in List. Hier wird gekonnt und sinnreich nicht nur die Gefährdung der Insel durch den steigenden Meeresspiegel und die Stürme dargestellt, sondern man lernt auf anschauliche Weise, wie verwoben wir mit der Natur sind und dass es fatale Auswirkungen haben kann, wenn nur ein kleines, uns bisher unbekanntes Tier von der Bildfläche verschwindet.

Übrigens wollen wir auch nicht unser heimisches Wild vergessen, dessen Menge man allerdings als bescheiden bezeichnen muss. Es gibt schätzungsweise 150 Rehe, die hier eigentlich gar nichts zu suchen haben. Aber die Sylter Jäger, vermutlich frustriert darüber, immer nur Karnickel schießen zu müssen, haben ein paar Tiere ausgesetzt, die sich hier, seitdem die Begrünung der Insel zunimmt, immer wohler fühlen. Dann gibt es annähernd zwischen 50 und 100 Füchse, die mit dafür verantwortlich sind, dass die Möwen ihr Brutgeschäft vom Erdgeschoss sicherheitshalber lieber in die höheren Etagen verlegt haben. Die Füchse konnten ihren Weg ganz allein auf die Insel finden, was dem Bau des Hindenburgdammes geschuldet ist, der auch – zum Leidwesen der Gärtner und Deichbauer – Grabowski die Chance bot, einmal Sylter Luft zu schnuppern. Maulwürfen dürfen die Jäger allerdings nicht nachstellen, da sie unter Schutz stehen, was einige Gärtner jedoch mit der gleichen Hartnäckigkeit ignorieren wie manche Gäste die Tatsache, dass man nicht quer durch die Dünen laufen darf.

Wann die Wildkaninchen auf die Insel gekommen sind, ist nicht bekannt. Gut möglich, dass ein dänischer König sie aussetzen ließ, um sich hier als Jäger vergnügen zu können. Wie auch immer, sie machen dem Ruhm ihrer Fruchtbarkeit alle Ehre und kommen in so unglaublicher Anzahl vor, dass ich mich frage, warum Kaninchenbraten nicht längst zum Nationalgericht der Sylter erhoben wurde. Ab und zu brechen unter den explodierenden Beständen Seuchen aus und regulieren die ungehemmte Fortpflanzung, bis es aber so weit ist, amüsieren sich die süßen Hoppelpoppelchen in den frei liegenden Gartenanpflanzungen und dezimieren Tulpen, Triebe und Tausendschön in großem Stil.

Wer sich zur Eidum-Vogelkoje zwischen Westerland und Rantum aufmacht, wird in einer Ausstellung mehr über die Wildvorkommen der Insel erfahren können.

Übrigens ein origineller Standort, den die Jägerschaft sich hier als Informationsplattform ausgesucht hat, denn die Vogelkojen wurden im 18. Jahrhundert nicht angelegt, um Vögeln das Leben leichter zu machen, sondern um durchziehende Entenvögel gleich tausendfach zu erlegen. Sehr trickreich und ganz ohne Blei. Später mehr davon.

Abschließend möchte ich mich noch einem Tier widmen, das allgemein als bester Freund des Menschen gilt und dessen Bestand auf Sylt einer enormen Fluktuation unterliegt. Wenn nämlich Saison ist, bevölkern so viele Hunde unterschiedlichster Rassen die Insel, dass man sich einen Zoobesuch getrost sparen kann.

So unterschiedlich die Hunde selbst sind, so übereinstimmend ist nach meiner Erfahrung das Verhalten ihrer Herrchen und Frauchen. »Mein Hund tut nichts«, ist der Satz, der dabei wohl am häufigsten fällt, selbst wenn sich die kleine Teppichratte schon am Oberschenkel festgebissen hat. Das ist mir tatsächlich schon passiert, und ich bin froh, dass ich Hunde ausgesprochen gern mag – trotz dieser schmerzhaften Zuneigungsbekundung. Viele Hundehalter gehen auch davon aus, dass ihre Tiere keinen Jagdinstinkt haben, und lassen sie ohne Leine laufen – selbst in den Naturschutzgebieten. Da unterschätzen sie nicht nur ihre Lieblinge, sondern auch die Sylter Natur mit ihren vielen am Boden brütenden Vögeln, kleinen Lämmern und anderem Kleingetier, die wie ein Jungbrunnen sogar auf altersschwache Köter wirken, die man zu Hause über die Schwelle tragen muss, weil sie die Stufen nicht mehr schaffen. Wer einmal ein zu Tode gehetztes Mutterschaf gesehen hat, braucht viel Toleranz gegenüber mancher Hundehalterignoranz. 50 Schafe und Lämmer hat der Schäfer des Nössedeiches, der deshalb seinen Job an den Nagel hängt, 2011 verloren – von Hunden auf grausamste Art zugerichtet. Wie entsetzt und betroffen die Halter der Tiere über die sich vor ihren Augen abgespielten Szenen gewesen sein müssen, mag man auch daran erkennen, dass niemand sich traute, das Unglück zu melden und Hilfe zu holen. So sind Tiere, die man noch hätte retten können, qualvoll verendet. Und sollten Sie jetzt denken, »aber **mein** Hund würde so etwas wirklich nie tun«, dann glauben Sie mir einfach – es gibt Dinge zwischen Himmel und Erde, die kann man sich gar nicht vorstellen.

Gott segne unseren Strand

Das sollen früher die nordfriesischen Pastoren gepredigt haben, und es hieß nichts anderes als: »Lieber Gott, wir möchten natürlich nicht, dass du Schiffe stranden lässt, aber wenn es denn sein muss, bitte bei uns!«

Manch ein verunglücktes Schiff hat die Not der Küstenbewohner gelindert, und das Gebet scheint häufig erhört worden zu sein, denn das Meer vor der Küste Nordfrieslands gehört zu den größten Schiffsfriedhöfen Europas. Allerdings haben die Insulaner von Sylt, Amrum und Föhr nicht wirklich die dicken Brocken abbekommen, denn die Haupthandelsrouten, die von den reich beladenen Handelsschiffen befahren wurden, lagen in Richtung Elbe, Weser und Rhein.

Ein gestrandetes Schiff gehörte zu den echten Höhepunkten auf der Insel, was sonst so anspülte, gab nicht immer zu Freude Anlass. Ungezählte Strandleichen mussten die Strandvögte bergen und bestatten lassen, nachdem eine entsprechende Verordnung in Kraft gesetzt worden war. Bis zu diesem Zeitpunkt hatten die Insulaner die Angespülten meist in den Dünen verscharrt oder sonstwie entsorgt. Wenn man das Strandprotokoll studiert, kann man auch verstehen, warum. »Eine männliche Leiche in der Nähe von Pröstgap angetrieben. Dieselbe hatte lange getrieben und war sehr in Fäulnis übergegangen. An Kopf und Händen war nur noch Schädel und Knochen vorhanden. Das Fleisch an diesen Teilen alles weg, über dem einen Bein befand sich ein sogenannter Fischerstiefel. Bekleidet war sie mit einer Hose, welche größtenteils zerfetzt war, und einer blauwollenen Unterhose, zwei blauwollenen Hemden, grauer Weste und grauwollenen Strümpfen. Besondere Kennzeichen waren nicht vorhanden. Die Länge des Körpers war 5 Fuß 50. Das Alter der betreff. Person mag wohl 30–40 Jahr gewesen sein. Parentation von Herrn Pastor Thomsen in Keitum nachmittags 4 Uhr.«

Schon beim Lesen möchte man tief durchatmen. Kaum fassbar, dass solche Leichen manche Strandgänger nicht abschreckten, die Taschen der Toten zu prüfen, ob nicht doch etwas von Wert darin wäre. Ein gutes Beispiel dafür, wie groß die Not früher auf der Insel sein konnte, was man sich heute, ist man an der Wasserkante unterwegs, kaum noch vorstellen kann.

Eine dieser Strandleichen ging in die Geschichte der Insel ein. Es ist schon über 300 Jahre her, aber trotzdem eine bemerkenswerte Story, die damit beginnt, dass der Strandvogt den Angespülten nach Westerland bringen lässt, weil er an der Kleidung sofort erkennt, dass es sich hier nicht um irgendeinen armen Teufel handelt. Später wird man herausfinden, dass der Tote Daniel Wienholt heißt, aus London stammt und mit einem Schiff vor Texel unterging. Das zeigt, dass nicht alle Sylter Strandleichen auch vor Sylt ertrunken sind. Wienholts Schiff hatte Gold im gegenwärtigen Wert von rund 60 Millionen Euro geladen, und wer heute an der holländischen Küste seinen Urlaub verbringt (was für eine unsinnige Idee, Sie fahren ja nach Sylt), wird von den Schatzsuchern hören, die noch heute die Goldbarren heben möchten, die damals auf unerklärliche Weise auf Nimmerwiedersehen im weichen Meeresgrund versunken sind.

Sylt profitierte nichtsdestoweniger von diesem Untergang, denn die Familie dankte der Kirchengemeinde Westerland später für die fürsorgliche Verwahrung des Toten mit einem Geschenk von 500 Talern. Der warme Geldsegen wurde umgehend in eine Orgel investiert, die noch heute in der kleinen St.-Niels-Kirche gespielt wird. Das Schiff, mit dem Wienholt unterging, hieß *Lutine,* und wenn auch nur wenig vom Schatz geborgen wurde, so wurde doch die Glocke gerettet. Der damalige Schiffsversicherer Lloyds, der – wie man sich denken kann – an diesem Schadenfall fast pleiteging, hält die Glocke noch heute in großen Ehren. Die »Lutine-Bell« hängt in der großen Halle des mittlerweile weltweit agierenden Konzerns und wird immer dann geläutet, wenn ein bei Lloyds versichertes Schiff sinkt.

Die begehrtesten Strandfunde waren Fässer mit Essbarem. Butter, Rum, Wein – sogar der erste Tee soll die Insel auf diese Weise erreicht haben. Die Strandvögte hatten ihre liebe Not mit den Syltern, die sich um die Verordnungen – nach denen nichts vom Strand mitgenommen werden durfte – wenig scherten. Wenn sie sich tüffelig genug anstellten, konnte man ihnen später manchmal doch noch auf die Schliche kommen. Wie einem Rantumer, der mit seinem frisch erbeuteten Strandfund zum Vergnügen aller Anwesenden zum Dorfschwoof marschierte – sein viel zu kräftiger Körper steckte in einer eleganten, goldverzierten Samtjoppe mit reich besticktem Seidentuch, und zur Krönung trug er einen vornehmen Herrenhut mit Pfauenfeder.

En Klots bleft en Klots, hi mai noch sok dailk Kluar ön haa. (Ein Tölpel bleibt ein Tölpel, er mag noch so gut angezogen sein.)

In der Familie meines Mannes erzählt man sich von der Strandung eines Finnwals in der Notzeit des Ersten Weltkrieges. Das Tier war offensichtlich von einer Seemine getroffen worden, spülte schwer verletzt dort an, wo sich heute die Surfer zum World-Cup die unglaublichsten Formationen liefern, und wurde von den hungrigen Syltern erschossen. Die ganze Insel roch wochenlang nach Tran, aber das Walfleisch soll gar nicht so schlecht geschmeckt haben. Die gewaltigen Kieferknochen stehen noch heute als Eingangstor links und rechts der Gartenpforte meiner Schwiegereltern.

Ein paar Jahre später spülten kistenweise Kindersocken im Einheitsringelmuster an. Es gab wohl kaum ein Sylter Kind, das diese Dinger nicht getragen hat – und wäre Sylt damals Forschungsgebiet für Ethnologen gewesen, gäbe es auf der Welt mit Sicherheit ein Missverständnis mehr.

Ich verlege mich eher darauf, Bernstein zu suchen, wenn ich am Meer unterwegs bin, ein Unterfangen, das selten von Erfolg gekrönt ist. Sylt ist sicher für vieles berühmt, aber nicht für seine Bernsteinvorkommen. Und im Spülsaum finden sich heute längst keine Holzfässer mit köstlichem Inhalt mehr oder andere kostbare Schiffsladungen. Wenn die Tourismusbetriebe nicht ständig klar Schiff machen würden, sähe der Sylter Strand ganz anders aus. Einer der Posten, für die übrigens Ihre Kurtaxe eingesetzt wird – man fragt sich ja wirklich, wo das ganze Geld bleibt ... Wer an den weniger frequentierten Stränden unterwegs ist, die nicht so regelmäßig gepflegt werden, wie hoch im Norden der Insel, wird auf Schritt und Tritt auf die Hinterlassenschaften unserer Wohlstandsgesellschaft stoßen. Die übrigens auch mich als Bernsteinsucher zur Verzweiflung bringen können, denn es gibt kleine gelbe Plastikstückchen, die man erst bei genauerer Betrachtung enttarnen kann. Die größte Chance auf Bernstein hat man übrigens, wenn man Tuul am Strand findet. Das sind verkohlte Holzstückchen (die man ärgerlicherweise mit Ölklümpchen verwechseln kann) mit demselben spezifischen Gewicht wie Bernstein. Tuul und Bernstein treten sozusagen in Symbiose auf. Aber träumen Sie nicht davon, sich Steine für eine ganze Kette sammeln zu können, es sei denn, Sie kehren jedes Jahr wieder auf die Insel zurück.

»Gott segne unseren Strand« im alten Sinn müssen die heutigen Pastoren nicht mehr predigen. Der Sylter Strand ist gesegnet, aber anders, als man sich das einst vorstellen konnte. An hochsommerlichen Tagen räkeln sich Tausende von Menschen an den Hauptstränden. Wenn der Wind ablandig ist, zieht einem der Geruch verschiedenster Sonnenöle, von Körperschweiß, Zigarettenqualm und Pommesfett zum Glück nicht in die Nase. Ein Strand, der mit seinen knapp 40 Kilometern Länge (ohne die Strände an der Ostküste) Platz genug für fast alle Gäste bieten würde. Warum trotzdem 80% der Strandbesucher an den Zentralstränden Klumpenbildung betreiben, hat die Wissenschaft unlängst aufgedeckt. Der Mensch aus den urbanen Zentren ist erhöhtem Stress ausgesetzt, die tägliche Begegnung mit zahllosen anderen Menschen auf dem Weg zur Arbeit oder auch sonst führt zu einer beständigen Ausschüttung von Adrenalin. Setzt sich ein Stadtmensch nun in die komplette Einsamkeit eines Sylter Strandes, kommt er in kürzester Zeit auf Entzug. Setzt er sich hingegen an den Hauptstrand, wo das Kläffen der Hunde, Schreien der Kinder oder das enervierende Klack-Geräusch einiger Ballspiele die Luft erfüllen, wird er augenblicklich ruhig. Denn sein Adrenalinspiegel wird in kürzester Zeit auf die erforderliche Höhe steigen.

Ob das aber ein Segen ist?

Die schönen Inselorte

Westerland – friesisch: *Weesterlön*

Wer noch nie auf Sylt war und sich mit den üblichen Bilderbüchern auf die Reise vorbereitet hat, wird, wenn er in Westerland ankommt, vermutlich an einen Irrtum glauben.

Bleib tapfer, möchte man diesem Gast zurufen, das erste Bier hat auch nicht geschmeckt.

Westerland ist irgendwie nicht wirklich Sylt. Werde ich gefragt, wo ich herkomme, erlebe ich immer wieder die Magie des Wortes »Sylt«, die aber augenblicklich verpufft, setze ich Westerland dahinter. (Das hat immerhin den Vorteil, dass der Freundeskreis nicht noch größer wird. Denn der ist, wenn man auf dieser Insel lebt, nicht kleinzukriegen, insbesondere zur Ferienzeit vergrößert er sich auf wundersame Weise.)

Westerland ist eigentlich eine nette Kleinstadt mit rund 9000 Einwohnern. Im Winter lebt es sich hier fast wie in einem Dorf, im Sommer mutiert die Kleinstadt zu einer

Art Metropole, die architektonisch einiges zu bieten hat, insbesondere Bausünden aus den 1970er-Jahren. Aber es finden sich auch zwei freundliche Fußgängerstraßen, die beide am Meer enden und durch eine Strandpromenade verbunden sind, deren Gesamtlänge immerhin zwei Kilometer beträgt. Das entschädigt für vieles.

Man kann die Stadt in vier Bereiche aufteilen. Da ist zum einen das Zentrum, das sich um die Fußgängerzonen Strand- und Friedrichstraße gruppiert und das wohl alle kennen, die einmal nach Sylt gereist sind. Demgegenüber das sogenannte »Alt-Westerland« östlich des Bahnhofs, um das erstaunlicherweise nur Eingeweihte wissen, obwohl es der schönste Teil ist. Und dann gibt es noch einen nördlichen und einen südlichen Stadtteil.

Das alte Zentrum, dort, wo die kleine St.-Niels-Kirche steht und noch niedrige alte Friesenhäuser zu finden sind, gefällt mir am besten. Hier lebten 1855, als die ersten 98 Gäste gezählt wurden und noch keine Logierhäuser erbaut waren, rund 500 Einwohner in 100 windzerzausten und verstreut liegenden Hütten. Hätte man ihnen erzählt, was in nur wenigen Jahrzehnten mit ihrem armen Nest in der Heide geschehen würde, sie hätten sich mit Sicherheit schlappgelacht.

Damals hatte Westerland einen grandiosen Strand mit wilden Dünen, unendlich weite Heidelandschaften und in alle Himmelsrichtungen einen Blick bis zum Horizont. Das war den Einheimischen nicht nur das Maß aller Dinge, schließlich kannten sie ja nichts anderes, sondern auch ihre Not, denn von der Heide und der schönen Sicht konnten sie nicht satt werden. Da man weder schwimmen konnte noch den Ehrgeiz besaß, nahtlos braun zu werden, wurden Strand und Meer als Naturgewalt wahrgenommen und somit als Bedrohung empfunden.

Dass es Menschen geben könnte, die das alles freiwillig auf sich nehmen und dafür auch noch bezahlen, das wäre ihnen nicht in den Sinn gekommen.

Aber Deutschland hatte im 19. Jahrhundert eine gewaltige Industrialisierung erfahren, die politischen Verhältnisse waren neu geordnet worden, das Land verstädterte, und die Gesellschaft erlebte einen niemals zuvor gekannten Umbruch. Berlin wurde größte Stadt Europas, und Industriebetriebe wie Borsig, Schering, Siemens oder die AEG zogen die Arbeit suchende Landbevölkerung an wie das Licht die Motten. Im Gegenzug flüchtete das neu entstandene, reiche Bürgertum in den heißen Monaten in die wortwörtliche Sommerfrische. Nachdem man zuerst die Ostseeküste erobert hatte, die von Berlin in kürzester Zeit zu erreichen war, trauten sich Wagemutigere weiter vor. Sie nahmen tagelange Anreisen in Kauf, Seekrankheit inklusive, um an die Nordsee zu kommen.

Und auf Sylt angekommen, war das Gros dieser Reisenden, die natürlich auch aus anderen Regionen anreisten, überwältigt. Menschen, die noch nie das wirkliche Meer gesehen hatten, schwärmten wie zum Beispiel Hermann von Wedderkopp 1928 in seinem Buch »Adieu Berlin« von der »unvergleichlichen Meernatur«, ließen »in herber Wollust das süßbittere Salz an sich nagen, sich vom Wind durchwehen, die Wellen auf sich niedergehen, sich vom Regen durchpeitschen und eilten, hundertfach gefestigt, am Ende der toten Saison, wenn es nur noch Verrückte und Einheimische gab, im Oktober geläutert, gehärtet, zurück nach Berlin«, kurzum, sie konnten sich gar nicht lassen vor Begeisterung. Hier fanden sie eine Natur, die sie forderte und erschöpfte und von der sich mit Begeisterung erzählen ließ, sodass zur nächsten Saison noch mehr Gäste auf Sylt begrüßt werden konnten.

Westerland entwickelte sich in sehr kurzer Zeit zu einem Bad, das ein illustres Publikum aus Blut- und Geldadel empfing. Inklusive einer Königin aus Rumänien. Auf des Kaisers Familie musste man – abgesehen vom Kronprinzen – allerdings verzichten. Die Hohenzollern waren empfindlich, sie reisten lieber nach Wiesbaden und Baden-Baden, wo die Wassertemperaturen der heißen Thermalbäder mehr als doppelt so hoch waren als in der Nordsee vor Westerland.

Die Besucher waren anspruchsvoll. Die kleinen Katen der Friesen boten den mittlerweile rund 13 000 Gästen von 1900 nicht das passende Ambiente.

»Diar gair nönt aur Renelkhair«, sair Tööl, da wäänt's ark Puask höör Sjürt. (»Es geht doch nichts über Reinlichkeit«, sagte Tööl, da kehrte sie jede Ostern ihr Hemd um.)

Also wurde kräftig gebaut, ein richtiger Bauboom, der Hotels und Logierhäuser in erheblicher Anzahl zum Himmel wachsen ließ. Sie hießen, der Zeit entsprechend, *Hotel Viktoria*, *Grand Hotel*, *Hotel zum Deutschen Kaiser* oder *Hohenzollern*. Die neuen Herren der Stadt, die Hoteliers, Gastronomen und Kaufleute, kamen aus den aufblühenden Städten des Deutschen Reiches, auf der Suche nach einer guten Geldanlage. Sie erkannten das Potenzial der Insel und unterschieden sich vermutlich nur wenig von den »Sylt-Beglückern«, wie die heutigen Investoren von den Insulanern gern genannt werden. Sie hatten eine gute Nase fürs Geschäft, aber keine Ahnung von der Sylter Natur, denn sie erlebten die Insel meist zur schönsten Jahreszeit. Um kurze Wege bemüht, bauten sie ihre Häuser immer dichter an die Küste. Auf diese Weise ging manch ein Logierhaus »über den Strand«, so die harmlose Umschreibung auf Syltisch für den Einsturz eines Hauses durch Unterspülung. Aber das hielt die Entwicklung nicht auf.

Im Westen entstand ein touristisches Sommerzentrum. Die Saison war mit knapp drei Monaten noch kurz, und im Winter pfiffen Wind und Regen durch die leeren Straßen.

Im östlichen, abgelegenen Teil lebten weiterhin die Einheimischen. Später, im Jahr 1927, wurden beide Bereiche durch den Bau des Bahnhofs und der Gleise nur scheinbar miteinander verbunden.

Die Einheimischen profitierten von der neuen Entwicklung anfangs eher am Rande. Denn sich mit Badegästen abzugeben, das widersprach dem eigenwilligen Stolz der Friesen, und nur wenige sollten später eigene Logierhäuser oder Restaurants betreiben. So entstanden zwei unterschiedliche Gesellschaftsschichten. Die »Fremden«, also die Zugereisten, die erfolgreich die neue Entwicklung für sich nutzen konnten, und die gebürtigen Sylter. Die vor 100 Jahren angereisten Fremden wurden fast alle sehr vermögend, wenn auch viele in der dritten Generation – wie das häufig so ist – an ihrem Erbe scheiterten und verkaufen mussten. Diese Familien zählen längst zum Establishment der Kleinstadt. Aber sie werden nie zu der Gruppe der »echten« Sylter gehören.

Während die Schar der echten Insulaner immer kleiner wird, wächst in jeder Saison die Fraktion derjenigen, die sich das große Glück von Sylt erhoffen. Der Inselname scheint als Synonym für Erfolg und Wohlstand zu stehen, doch die meisten unterschätzen die rauen und schwierigen Verhältnisse, die durch die Saison geprägt sind. Schätzungsweise nur 10% jener Glücksritter, die sich hier neu ansiedeln, überstehen die ersten drei Jahre und bleiben. Da eine ähnliche Anzahl die Insel für immer verlässt, weil sie hier ihr Geld gemacht hat und nun beklagt, dass nichts mehr so ist wie früher (ohne zu reflektieren, dass sie kräftig dazu beigetragen hat), wächst die Inselbevölkerung kaum. Aber ich schweife ab …

Die prachtvollen Hotels aus der Gründerzeit, erbaut wie gesagt nicht von Syltern, sondern »den Fremden«, überstanden beide Weltkriege fast schadlos. Die Alliierten fanden es wichtiger, Hamburg und andere Großstädte zu bombardieren, und flogen über die Insel nur hinweg.

Dass viele Häuser die Zeiten trotzdem nicht überstanden haben, ist eine traurige Tatsache. Die Bau- und Modernisierungswut der 1970er-Jahre, gepaart mit dem Geschäftssinn einiger Bauunternehmer und der Gleichgültigkeit damaliger Stadtvertreter, war eine tödliche Mischung für die alten Gebäude. Es entstand das heute stadtbildprägende Kurzentrum, das in ferner Zukunft bestimmt einen herrlichen Wellenbrecher abgeben wird. Aber dadurch erwachte erstmals unter den Einheimischen ein Protestsinn, und schlimmere und noch gigantischere Bauprojekte konnten vorerst – leider nur in Westerland – verhindert werden.

Nur manches, was heute in der Stadt über 100 Jahre alt ist, steht mittlerweile unter Schutz, sodass in Westerlands Westen ein wildes Architektur-Sammelsurium typisch ist. Da gibt es gesichtslose Apartmenthäuser in gelbem Klinker und mit Einheitsbalkonen neben Hotels im Bäderstil und liebevoll restaurierten Fassaden der Jahrhundertwende, aber auch ganz neue Apartmenthäuser, viele leider in einem falsch verstandenen historisierenden Stil gebaut, gekrönt von glänzenden Dachziegeln, die neben der Sonne auch den fehlenden Geschmack der Bauherren spiegeln.

Aber wie heißt es oft so schön? Die Mischung macht's, und das gilt auf Sylt insbesondere für Westerland.

Die Entwicklung des nördlichen und südlichen Stadtteils begann größtenteils erst in den 1930er-Jahren und dann nach dem Krieg.

Die heutige Asklepios-Klinik im Norden der Stadt wurde 1937 als Luftwaffenlazarett gebaut – einer der wenigen Fälle, in denen sich die Militärbebauung als segensreich erwies. Sie liegt ganz in der Nähe des Friedrichshains, der im Süden der Stadt das Südwäldchen als Pendant hat – ein Ausnahmebewuchs in der sonst kargen Insellandschaft. Die Antwort auf die Frage, warum die Bäume gerade hier an den ehemaligen Stadträndern zu finden sind und ausreichend nahrhaften Boden fanden, ist relativ simpel. Hier wurde in den Zeiten vor der Kanalisation das »Gold« der Stadt versprengt bzw. der Müll versenkt.

Auch die sogenannte Marinesiedlung, gelegen zwischen Norderstraße und Graf-Spee-Straße, wurde in den 1930er-Jahren erbaut. Die in List stationierte Marine wurde damals von der Luftwaffe verdrängt – ja, auch in diesen Kreisen gibt es Konkurrenz – und baute ihre neuen Unterkünfte im Friesenstil im zentralen Westerland.

Nach dem Krieg errichteten unweit davon die neuen Herren der Insel, die Engländer, schmucke Häuser für ihre Herren Offiziere.

Dazwischen befindet sich eine Neubausiedlung aus den 1970er-Jahren, auf Sylt nur »Känguru-Siedlung« genannt. Wer hier damals baute, machte verhältnismäßig große Sprünge, hatte aber angeblich nix im Beutel …

Des Weiteren sind im nördlichen Stadtteil zahlreiche Kinderheime zu finden, und damit der Altersdurchschnitt dieses Viertels nicht aus den Fugen gerät, stehen hier auch die beiden Seniorenheime der Insel.

Der südliche Teil der Stadt wird durch die zahlreichen Einzelhäuser geprägt, von denen ursprünglich viele in den Jahren nach dem Kriege erbaut wurden. Manch ein Heimatvertriebener, der auf der Insel bleiben wollte, stellte sich hier sein Häuschen hin. Die damalige Wohnungsnot ließ auch die großen Wohnblocks an der südlichen Stadtgrenze entstehen und erklärt Straßennamen wie Stettiner oder Kolberger Straße. Die dazwischen liegenden großen Klinkerhäuser im Einheitsstil wurden wiederum auch von den Engländern gebaut, hier im Süden lebten aber die unteren Ränge.

Verblüffenderweise findet sich dazwischen manch ein Friesenhaus aus dem 18. Jahrhundert, und jedes könnte eine aufregende Geschichte erzählen. Denn diese Häuser gehören vermutlich zu dem untergegangenen Ort Eidum, der einst weit im Westen lag, dort, wo sich heute Scholle und Steinbutt gute Nacht sagen, wenn sie nicht gerade ein tödliches Treffen mit einem der dänischen Fischer haben, die mit ihren Schleppnetzen westlich der Insel den Nordseeboden aufräumen.

Die große Streusiedlung Eidum wurde bei der Sturmflut von 1436 zerstört, nur die östlichsten Häuser überstanden den Sturm. Sie überstanden auch fast alle die Abrisswut der 1970er-Jahre, sodass hier im Süden der Stadt noch sehr schöne historische Friesenhäuser zu finden sind.

Die damals weniger Glücklichen, die zwar die Flut überlebten, aber ihre gesamte Habe verloren, gründeten eine neue Siedlung. Aus der Erfahrung, dass es sich im Westen gefährlicher lebte, versuchten sie, so weit wie möglich vom Meer wegzukommen. So zogen sie bis an die Gemeindegrenze von Tinnum. Wer heute in diesem Teil der Stadt, in Alt-Westerland, spazieren geht, wird auf eine Straße »Am Grenzkrug« stoßen. Dass der neue Ort dann nicht wieder Eidum genannt wurde, ist auch Sylter Logik. Vom Rest der Insel aus betrachtet, hatten die Leute ihre Häuser nämlich im wester(lichen) Land erbaut.

Es ist, wie schon gesagt, der netteste Teil der Stadt. Hier stehen die kleine Dorfkirche St. Niels mit ihrem sehenswerten Friedhof und ein paar Schritte weiter das Gotteshaus der dänischen Minderheit, untergebracht im 250 Jahre alten Stall eines Friesengehöfts. Hier gibt es kleine verschlungene Wege und noch echte Nachbarschaft. Was fehlt, ist ein nettes Café, aber zum Glück fehlen auch alle jene Läden, die man ein paar Schritte weiter westwärts findet.

Nachbarschaft in Westerland

Wir leben – wie knapp die Hälfte aller Sylter – in Westerland.

Nach mehrmaligen Umzügen sind wir hier angekommen, und ich möchte auch nicht wieder weg.

In einer kunterbunten Nachbarschaft, in der wir alle etwas gemeinsam haben: wir sind keine echten Sylter. Wir sprechen weder Friesisch, noch haben wir einen Großvater, der vor 300 Jahren dazu beigetragen hat, die Walbestände so zu dezimieren, dass wir heute den Japanern den Fang verbieten müssen. Und keiner von uns lebt in einem alten Friesenhaus und heißt Petersen, Brodersen oder Bleicken.

Die älteren Häuser in unserer Gegend wurden erst vor rund 100 Jahren erbaut, und die damaligen Eigentümer waren ein Grubenbesitzer aus Schlesien, ein ehemaliger Direktor des Wiener Burgtheaters, die Familie Knipping, die mit Schrauben ein Vermögen machte, der sogenannte

Zuckerkönig Pikuriz aus Danzig oder die erste Schwiegermutter von Alfred Kerr, die hier ihren Lebensabend verbrachte.

Alles recht großbürgerlich, diesbezüglich hat sich unser soziales Umfeld mächtig verändert.

Vis-à-vis von uns lebten bis vor Kurzem Elke und Heinz. Sie waren die Einzigen in der Nähe, die noch mit persönlichem Engagement an Badegäste vermieten und mittels dieser Tätigkeit unseren Anekdotenschatz regelmäßig bereicherten. Glücklicherweise sind sie nur innerhalb der Straße umgezogen, denn sie sind die zuverlässigsten Nachbarn überhaupt, wenn es darum geht, jemanden zu finden, der einen daran erinnert, welche Mülltonne am nächsten Morgen dran ist. Und sie werfen ein Auge auf unser Haus, sind wir mal auf dem Festland. Eine Nachbarschaft, die mit Geld nicht zu bezahlen wäre.

Daneben lebt die attraktive Cristina aus Cortina d'Ampezzo in Italien. Sie wohnt mit Sohn und Ehemann in einem Haus, das immerhin mal einem Sylter gehörte. Dessen Vorfahren kamen bereits um 1850 auf die Insel, und dieser Glanz der Geschichte strahlt zum Glück auch ein wenig auf uns alle ab.

Dank Cristina umweht uns ein Hauch internationalen Flairs. Besonders wenn ihre Mutter aus Hameln anreist, wo die Familie, wie es sich für Italiener gehört, einen Eissalon betreibt, und Klaus für die Zeit ihres Aufenthalts mit den Worten »Queen Mum ist angereist« die italienische Flagge hisst. Cristina hat Klaus verständlicherweise eine Vespa geschenkt, doch leider bevorzugt er meistens einen seiner Wagen. Sonst könnten wir uns fast in Italien wähnen, wenn sie ihrem Mann an Sonnentagen mit ihrer schönen tiefen Stimme »Ciao« nachruft. Aber hinsichtlich seiner Vespa ist Klaus leider sehr zurückhaltend.

Auf dem Nachbargrundstück zu unserer italienischen Kleinfamilie steht ein altes Logierhaus, das um 1900 erbaut wurde und heute als Personalhaus für ein Westerländer Hotel genutzt wird. Das ist für die Hoteliers eine sinnvolle Investition, denn die Suche nach belastbaren Mitarbeitern gestaltet sich auf Sylt weniger schwierig als das knappe Angebot an bezahlbarem Wohnraum, das manch einen Arbeitsvertrag scheitern lässt.

Nördlich von uns ist das Grundstück mit kleinen Wohnmaschinen vollgestopft. Wie viele Apartments in diesen Häusern stecken, habe ich bis heute nicht verstanden. Aber es ist eine unüberschaubare Anzahl, lauter verschiedene Leute, die uns alle vom Sehen her kennen. Wir dagegen kennen die große Herde dieser Eigentümer kaum, denn sie vermieten ihre Wohnung die meiste Zeit, und es ist jede Saison eine neue Herausforderung, unter den zahllosen Gesichtern diejenigen wiederzufinden, die man schon mal gesehen hat. Um das Problem zu lösen, haben mein Mann und ich unterschiedliche Lösungswege eingeschlagen. Ich grüße vorsorglich jeden, er grüßt prinzipiell niemanden. So lavieren wir uns durch.

Da wir auf einem Eckgrundstück wohnen, haben wir auch noch eine Nachbarin quer über die andere Straßenseite. Hier ist der Kontakt nicht so eng, jeder lebt sein Leben. Ihr Grundstück sieht picobello aus, unser Gartenmotto lautet eher: *Di Gees wuchset ick ek gauer wan om en uset.* (Das Gras wächst auch nicht schneller, wenn man daran zieht.)

Wie riskant es allerdings sein kann, das Leben der Nachbarn zu ignorieren, zeigt ein Vorfall, der bisher zu den *top ten* meiner Missgeschicke gehört. Zwar wusste ich, dass es dem Gatten meiner Nachbarin nicht so gut ging, aber wir hatten uns länger nicht gesehen. So saß ich eines Tages mit ihr in der Dampfsauna der Sylter Welle und erkundigte mich nach dem Befinden des Herrn. Eine komplett überflüssige Frage, wie sich herausstellte, denn er weilte schon seit Längerem nicht mehr unter uns.

Wer so eine Situation schon einmal erlebt hat, weiß, aus dieser Nummer gibt es kein Entrinnen. Ich war dankbar für den heißen Dampf, mein spontaner Traum, mich darin kurzfristig auflösen zu können, ging leider nicht in Erfüllung. Meine Ahnungslosigkeit war nur deshalb entschuldbar, weil es keine Annonce im Inselblatt gegeben hatte.

In diesem Zusammenhang kurz der Hinweis, dass sich jeder, der auf Sylt lebt oder hier urlaubt, die »Sylter Rundschau« kaufen sollte. Natürlich nicht, um sich ernsthaft mit den politischen Ansichten der schleswig-holsteinischen Redakteure zur Weltpolitik auseinanderzusetzen. Nein, es kommt auf den Lokalteil an. Abgesehen davon, dass man darin liest, wer in der Nachbarschaft gestorben (!) ist oder geboren wurde, verrät diese Zeitung täglich mehr über die Befindlichkeit der Insulaner, als es eine Gebrauchsanweisung für Sylt jemals könnte.

Unerreicht sind die zahlreichen Leserbriefe. Viele nutzen dieses wunderbare Medium, um ihrem Herzen so richtig Luft zu machen oder ihre literarische Begabung unter Beweis zu stellen. Man erfährt die unglaublichsten Sachen, über die sonst keiner berichten würde. Leider sind die eifrigsten Leserbriefschreiber schon verstorben oder anderweitig verzogen, aber es lohnt sich immer noch, diese Rubrik gleich als Erstes zu sichten.

Und wo ich gerade bei dem Thema bin, eigentlich gehört zu unserem Nachbarkreis auch Friedmar. Ohne ihn wäre unser Leben ein Stück weit ärmer, denn er bringt uns zuverlässig wie eine Dampfmaschine die »Sylter Rundschau« ins Haus. Kein Glatteis oder Sturm hindern ihn daran, die

Zeitung bereits gegen 3.30 Uhr bei uns einzuwerfen, sodass ich ihn bedauerlicherweise nur selten zu Gesicht bekomme. Dabei ist ein Treffen mit Friedmar immer außerordentlich erfrischend. Er hat in seinem bisherigen Leben mittlerweile mehr durchgemacht als manch ein Hundertjähriger. Daraus resultiert eine abgeklärte Sicht der Dinge, die für jedermann erstrebenswert sein sollte. Sicher war ihm sein herrlicher Humor oft eine große Lebenshilfe, und so endet kein Gespräch ohne den neusten Inselwitz. Besonders beliebt ist dieser, den, wie ich manchmal fürchte, nur ich und meine Nachbarn verstehen:

Treffen sich ein Chinese, ein Ägypter und ein Sylter Friese. Wer wohl die bedeutendsten Ahnen hätte, gilt es zu klären. Der Chinese gibt sich siegessicher, denn immerhin haben die Chinesen das Papier erfunden und auch das Schwarzpulver. Der Ägypter lässt das nicht gelten und verweist auf eines der Weltwunder, die Pyramiden. Die seine Vorfahren schon vor über 5000 Jahren erbaut hätten. Der Friese erntet von beiden einen herablassenden Blick, wohl wissend, dass diese Argumente kaum zu toppen sind. »Na ja«, sagt der, »ihr beiden kennt doch Adam und Eva, nich? Ja, Eva, das war ne geborene Petersen …«

Wenn Sie darüber herzlich lachen können, sollten Sie ernsthaft überlegen, ob Sie nicht in unsere Nähe ziehen wollen – wir hätten bestimmt viel Freude miteinander!

Schlussendlich gehörte bis vor Kurzem zu meinem nachbarlichen Umkreis auch meine Schwiegermutter, von ihrem Schwager nur »Schwiegertiger« genannt. Alle Warnungen meiner Freunde, bloß nicht in die Nähe der Schwiegereltern zu ziehen, waren gleichermaßen überflüssig und unbegründet.

Ich hatte die beste Schwiegermutter der Welt. Alles, was man sonst mit dieser Spezies verbindet, wie Neugier,

Eifersucht, Kontrollsucht, übermäßige Anhänglichkeit, traf definitiv nicht auf Modje zu, wie sie von ihren Enkelkindern genannt wurde.

Sie kam mit ihrer Familie 1939 auf die Insel, verliebte und verlobte sich mit meinem Schwiegervater, der dann in den Krieg zog und erst nach siebenjähriger Kriegsgefangenschaft spät aus Russland heimkehrte. Sie war ein Bild von einer Frau und hatte sicher viele Chancen, aber sie blieb ihrem Uwe treu. Sie schenkte ihm drei Kinder, unter anderem einen Sohn, der sich später als einer der reizendsten Ehemänner der westlichen Hemisphäre entpuppen sollte.

Das Leben in dem kleinen Haus unter dem Dach ihrer Schwiegereltern war sicher nicht immer unproblematisch, sodass ich von ihrer Erfahrung profitieren durfte.

Die Wohnsituation war auch deshalb ungewöhnlich, weil ihre zweite große Liebe den Tieren galt. So hatte die Familie nicht nur fünf Schildkröten, eine Katze, einen Findelhund vom Strand sowie anderes Kleingetier wie Finken u. Ä., sondern auch einen großen Papagei. Ein über 60jähriger blauer Ara, genannt Nora. 45 Jahre beglückte Nora die Familie mit ihrer Unfreundlichkeit, ein Miststück, bei dem eine frühzeitige Warnung eher angebracht gewesen wäre. Nora flog leider nie weg (Aras sind offensichtlich flugfaul), sondern besetzte das gesamte Grundstück, auf dem sie sich frei bewegen durfte. Sie stieß zur unpassendsten Zeit die schrecklichsten Schreie aus, die noch kilometerweit zu hören waren, und hackte nach jedem, der ihr zu nahe kam. Mit Leichtigkeit knackte sie die härtesten Nüsse mit ihrem riesigen Schnabel, Ohrläppchen und Finger waren sozusagen nur Vorspeise. Nur Modje galt ihre Liebe, die konnte mit ihr alles machen, und Nora war rasend vor Eifersucht, wenn man sich Modje näherte.

Diese Situation hat immerhin einen Vorteil: Wir können

jeder langweiligen Party mit Geschichten von Nora die rettende Wendung geben. So war dem Vogel einmal das Missgeschick passiert, dass er bei kräftigem Nordseewind seine Flügel spreizte. Das führte zu einem nicht geplanten Abheben, und erst auf einem Nachbarsdach kam der unfreiwillige Ausflug zum Halt. Nun saß der Vogel auf der anderen Straßenseite und war durch nichts zu bewegen, wieder runterzukommen. Nora ist eben etwas Besonderes – der einzige mir bekannte Vogel, der Angst vorm Fliegen hat.

Nur ihre Eifersucht ist noch stärker als ihre Flugangst. Nachdem meine Schwiegermutter kurz davor war, die Feuerwehr zu rufen, kam die Rettung in Form eines ahnungslosen Urlaubers, der glücklicherweise Bartträger war. Wenn Nora bärtige Männer sieht, mutierte sie regelmäßig zu einem Ungeheuer in Gelb-Türkis. Modje, vom Mut der Verzweiflung gepackt, erklärte dem erstaunten Gast, er müsse sie bitte einmal kurz in den Arm nehmen, damit ihr Vogel runterkomme. Warum dieser Gast nicht schleunigst flüchtete, ist mir ein Rätsel. Er kam ihrem Wunsch, so verrückt die Situation auch war, gern nach – vielleicht glaubte er an ein friesisches Begrüßungszeremoniell.

Dass der Urlauber sein Ohr behalten hat, ist nur dem Wind zu verdanken, der Noras Zieleinflug mit zwei Zentimeter Abweichung torpedierte.

Ich versichere Ihnen, in Westerland zu leben ist erheblich unterhaltsamer als in Kampen oder Keitum zu wohnen, so schön diese Orte auch sein mögen.

Nachtrag: Nach dem Tod von Modje gab es für Nora ein Happy End. Ein Verein, der sich um verwaiste Papageien kümmert, hat sich – nichtsahnend – dem Tier angenommen, das unter Artgenossen zur Höchstform aufläuft. Nora wird vermutlich das Alter von Churchills Papagei erleben, der mit 115 Jahren immer noch auf der Stange sitzt!

Wenningstedt und Braderup – *Woningstair en Brērerep*

Wenn man in Berlin unterwegs ist, genau genommen im Stadtteil Frohnau, kann man ein nicht alltägliches Haus entdecken. Auf einer Gedenktafel an seiner Mauer ist zu lesen: »Hier lebte und wirkte von 1924 bis zu seinem Tode Paul Dahlke (25.1.1865–29.2.1928), Arzt und Schriftsteller, Gründer des Buddhistischen Hauses.«

Bedauerlicherweise ist der Text recht kurz gefasst, sonst könnte man erfahren, dass Herr Dahlke dieses Buddhistische Haus in Wenningstedt auf Sylt geplant hatte. Nicht nur geplant, auch gebaut. Sogar das erste buddhistische Heiligtum der westlichen Hemisphäre überhaupt (!) wurde von ihm auf Sylt, auf der Braderuper Heide, errichtet. Was für eine Chance! Wenn es das Schicksal mit Wenningstedt anders gewollt hätte, hieße der Ort heute vielleicht Buddhingstedt und wäre ein Ort der Begegnung für Buddhisten von Weltrang. Richard Gere würde Sylt regelmäßig besuchen und der Dalai Lama hier seine Friedensverhandlungen mit den Chinesen führen. Aber wie meine Oma zu sagen pflegte: Mädchen, man kann nicht alles haben ...

Es ist nicht so gekommen, Wenningstedt heißt immer noch Wenningstedt, und kaum jemand weiß von der verpassten Chance.

Wer aber war Dahlke? Paul Dahlke – nicht zu verwechseln mit dem gleichnamigen Schauspieler – begann mit knapp 20 Jahren im Berlin des ausgehenden 19. Jahrhunderts Medizin zu studieren. Und da er den Eindruck gewann, der Patient sei den Professoren weniger wichtig als die Krankheit, wandte er sich lieber der Homöopathie zu.

Er wurde zu einem wichtigen Vorkämpfer dieser Gesundheitslehre und seine Suche nach dem ganzheitlichen Wohlbefinden führte ihn auf Reisen. Bis nach Ceylon, wo er sich der Lehre Buddhas zuwandte. Danach träumte er von einem buddhistischen Zentrum auf Sylt, einer Insel, deren Licht und Stimmungen ihn an Ceylon erinnerten. Aber wie wir heute wissen, machte nachher Frohnau das Rennen, denn angeblich ließen ihn der Bau des Hindenburgdammes und der damit erwartete Anstieg des Fremdenverkehrs von seinem ursprünglichen Plan abrücken. Das ist symptomatisch für Wenningstedt, mit wirklich spannenden Informationen hält man sich zurück.

Doch das Dahlke-Haus steht noch. Inklusive Tempelraum, Bibliothek und Buddha. Machen Sie sich um Himmels willen nicht auf die Suche danach, das Haus ist privat, und die jetzigen Bewohner würden sich sicher bedanken, wenn die vom Verlag erhofften zahlreichen Leser dieses Buches alle an der Tür klingeln.

Aber dafür können Sie einen neuen Restaurant-Tempel direkt am Kliff besuchen. Jürgen Gosch, von dem sie schon lesen durften, hat sich für den Verkauf seines maritimen Mannas einen – zugegebenermaßen – abenteuerlichen

Architekturentwurf geleistet. Der Erfolg ist vorprogrammiert, ebenso wie das zu erwartende Verkehrsaufkommen, das nicht minder abenteuerliche Verhältnisse schaffen wird.

Doch zurück zur Geschichte … Wer weiß schon, dass Wernher von Braun sich hier in Kindertagen am Strand eine frische Sommerbräune holte? Oder Rosa Luxemburg 1901 in Wenningstedt logierte und nicht wirklich *amused* war. »Können Sie sich eine Insel vorstellen, die so flach ist, … daß man sich gewissermaßen wie auf einem Teebrett fühlt?«; schrieb sie leicht desillusioniert einer Freundin.

Hier flanierte Wassily Kandinsky mit seiner Nina auf dem Roten Kliff unweit von jener Stelle, wo später Emmy Sonnemann für sich und ihren Gatten Hermann Göring, der zum Ende des Krieges nur noch »Meier« genannt wurde, das Häuschen »Min Lütten« erbauen ließ. Auf dem örtlichen Friedhof liegt der wunderbare Schauspieler Heinz Schubert begraben, und Anfang des Jahres 2010 las ich fassungslos eine Traueranzeige in der »Sylter Rundschau« (!), denn in der Namensliste stand auch Beatrix, Königin der Niederlande, die ihre Schwägerin betrauerte: die Schwester des Prinzgemahls Claus von Amsberg, die zeitweise in Wenningstedt gelebt hatte.

Informationen, mit denen die Wenningstedter nicht hausieren gehen.

Die Wenningstedter wirken zurückhaltend – vermutlich auch, weil es kein leichtes Los ist, zwischen zwei so erfolgreichen Nachbargemeinden wie Westerland und Kampen zu liegen. Eine starke Konkurrenz, die ihre Spuren hinterlassen hat, zumal Natur und Geschichte die anderen Orte zugegebenermaßen bevorzugt haben.

Hat es ek sa klaar om Klumper, wan em niin Meel heer. (Es ist nicht so einfach, zu Klößen zu kommen, wenn man kein Mehl hat.)

Für die Sylter sind die Wenningstedter allerdings auch kleine Revolutionäre, die bereits vor dessen Wahl den Obama-Slogan »Yes we can« auf der Insel verwirklicht haben. Sie haben es tatsächlich fertiggebracht, mittels Bürgerbegehren, Hartnäckigkeit und Klugheit einen politischen Wechsel herbeizuführen und ein Bauprojekt zu stoppen, das dem der Keitumer Therme nur unwesentlich nachstand.

Da Wenningstedt erst in den 1990er-Jahren eine Ortsgestaltungssatzung erhielt, findet man im Ort einen architektonischen »Kuddelmuddel« vor. Trotzdem ist noch gut erkennbar, dass das historische Zentrum in der Nähe des Dorfteiches liegt, der früher im Übrigen eine flache Viehtränke war, in der man auch seine Wäsche wusch. Hier finden sich die schönsten alten Häuser der Gemeinde, denn die strandnahen Ländereien hat man früher nicht bebaut. Die Friesen haben sich vernünftigerweise in Meeresferne angesiedelt, man kannte ja seine Nordsee und den *blanken Hans*. Hier steht auch die recht junge Kirche, die Friesenkapelle, die im Kriegsjahr 1914 fertiggestellt wurde.

Der Grund für den Bau des Gotteshauses erklärt sich aus der Zunahme des Fremdenverkehrs. Die Wenningstedter gehörten zum Keitumer Kirchspiel, aber wie, bitte schön, sollte man den Gästen das erklären? Dass sie sich sonntags wohl oder übel zu der ein paar Kilometer entfernten St.-Severin-Kirche aufmachen müssten? Da war es schon einfacher, dem Keitumer Pastor klarzumachen, dass er in der Saison bitte zweimal zu predigen hätte. Erst in St. Severin und anschließend in Wenningstedt. Die Begeisterung der Prediger hielt sich verständlicherweise in Grenzen.

Wohl auch deshalb gründeten die sogenannten »Norddörfer« (Wenningstedt, Braderup und Kampen) im Jahre 1991 ein eigenes Kirchspiel mit eigenem Friedhof und allem Drum und Dran. Und als klar wurde, dass die Kirchenbehörde sich so viele Pastoren auf Sylt nicht leisten konnte, fand man auch hier wieder eine »Yes we can«-Lösung. Es wurde die Stiftung »*Üüs Serk*« (Unsere Kirche) ins Leben gerufen, die bereits nach vier Jahren eine Million Euro Stiftungskapital eingeworben hat und damit den Fortbestand des kirchlichen Lebens und die damit einhergehenden sozialen Aktivitäten sichert.

Was den Tinnumern ihre Burg, ist den Wenningstedtern ihr Denghoog. Ein beeindruckendes Megalithgrab, vermutlich über 5000 Jahre alt, das in seinen Ausmaßen so stattlich ist, dass man sich im Innern mit mehreren Menschen aufhalten kann. Der Einstieg ist ein wenig tricky, wer die Figur eines Sumo-Ringers hat, wird auf die Besichtigung verzichten müssen, außer er möchte in den Genuss kommen, sich einmal wie ein Flaschenkorken zu fühlen. Denn der Zugang von oben ist nicht mehr als eine kleine Lücke zwischen drei tonnenschweren Deckensteinen, und der historische Kriechgang ist auch nicht viel größer und lässt die Vermutung zu, die frühere Bevölkerung sei zwergwüchsig gewesen.

Aber wenn man es geschafft hat, wird man mit Sicherheit beeindruckt sein. Bis heute ist nicht endgültig geklärt, wie die damaligen Bewohner ein derartiges Bauwerk ausschließlich aus Findlingen errichten konnten.

Durch die Zusammenlegung der beiden Gemeinden Wenningstedt und Braderup im Jahr 1927 hat die Ortschaft zwei Küsten. Im Westen liegt der Strand von Wenningstedt mit dem 30 Meter hoch aufragenden Roten Kliff, und im Osten vor Braderup plätschert das Wattenmeer.

So beschaulich wie das Wattenmeer ist auch der Ort selbst. Hier kann man sich dem langsamen Wechsel von Ebbe und Flut hingeben, um Kraft für das Auf und Ab des Lebens zu tanken.

In Braderup sind die Bürgersteige, die es im Übrigen nur auf wenigen Metern gibt, auch tagsüber hochgeklappt. Es gibt Natur, wohin das Auge sieht, einen Naturkostladen mit Bioprodukten von der Insel und ein Naturzentrum, das darüber aufklärt, dass die Natur geschützt werden muss, wenn wir auch noch unseren Kindeskindern die Einmaligkeit der Insel erklären wollen. Dann ist da das 1979 eingerichtete Naturschutzgebiet der Braderuper Heide, ein 140 Hektar großes Gelände, das mit herrlichen Wanderwegen durchzogen ist. Es ist ein einzigartiger Lebensraum, der rund 2500 Tierarten und 150 Pflanzenarten Platz bietet. Dazu gehören so florale Kostbarkeiten wie Arnika, geflecktes Knabenkraut, Lungenenzian oder Sonnentau. Wenn die Heide im Sommer blüht, ist alles ein rosa-pinkfarbenes Blütenmeer, und man fragt sich, wie viel von dem Kitsch, den die Natur für einen bereithält, der Mensch eigentlich erträgt.

Die Braderuper sind auch etwas revoluzzermäßig drauf, aber nicht ganz so erfolgreich in ihrem politischen Engagement. Seit Jahren kämpfen sie gegen den täglichen Schwerlastverkehr durchs Dorf zur nahen Kiesgrube. Statt sich hier zu engagieren, ziehen einige lieber weg, wie ein medienpräsenter Talkmeister des deutschen Fernsehens, der sich nach Morsum verzog und dessen Namen ich hier aus begründeter Furcht vor einstweiliger Verfügung nicht nennen möchte. Nein, es ist nicht Herr Jauch, der hat sein Häuschen weiter im Norden der Insel …

Davon abgesehen ist Braderup ein ruhiger Flecken. Vor allem im Winter, denn dann sind die Einheimischen fast unter sich, während die zahllosen Häuser und Wohnungen der Zweitwohnungsbesitzer mit ihren kalten Betten auf den Sommer warten, der ihre Bewohner endlich wieder auf die Insel reisen lässt.

Kampen – *Kaamp*

Wenn man die neuere Geschichte Kampens – also die der letzten 150 Jahre – genauer betrachtet, hat dieser Ort unter den Sylter Dörfern eindeutig einen Sonderweg eingeschlagen.

Dabei war die Ausgangssituation mit denen der anderen Gemeinden durchaus vergleichbar. Die Kampener waren eher schlechter gestellt, der karge Heidegrund warf nicht viel ab. Kampen war ein armes Nest, der Reichtum des Dorfes noch unentdeckt, weil sich in früheren Jahrhunderten niemand für die großartige Meernatur, die urwüchsige Landschaft und den unendlichen Himmel interessierte.

Aber die schon erwähnten radikalen gesellschaftlichen und wirtschaftlichen Umbrüche des 19. und 20. Jahrhunderts zogen Menschen von den urbanen Zentren in die ländliche Idylle. Und wenn auf Sylt auch keine Industrialisierung stattfand, war fortan der neue Fremdenverkehr bestimmender Faktor für das Schicksal der Insel.

Die ersten Sylter Badegäste waren glücklich mit dem, was ihnen in Westerland und auch Wenningstedt geboten wurde: Kurkonzerte, eine Promenade am Meer als Flaniermeile, um den neu erworbenen Reichtum in Form von täglich wechselnder Garderobe zur Schau zu stellen, und sonstige harmlose Vergnügungen.

Doch einige Gäste waren auf der Suche nach anderen Dingen. Ein spezielles Publikum bevorzugte Einsamkeit, Stille, rauschende Brandung und Ursprünglichkeit. Darunter gab es zahlreiche Maler, Schriftsteller und Verleger. In einem Kurprospekt der Kampener Gemeinde aus den 1930er-Jahren ist zu lesen: »Die bevorzugte Lage hat eine bemerkenswerte Auslese der Gäste bewirkt. Es sind vor allem Naturfreunde, feinsinnige und gebildete Menschen, die hier in der wunderbaren Natur ihre Ferien verbringen.« Damals landete in Kampen also noch eine elitäre Klientel …

Allerdings war auch das keine Garantie für Begeisterung. »Ich habe einen Baum gesucht, ich wollte mich erhängen, so schrecklich war es, aber nicht einmal einen Baum gibt es dort«, hörte man etwa 1924 den Maler Alexej von Jawlensky klagen. Tatsächlich gab es seinerzeit auf Sylt nur windzerzauste buschähnliche Gebilde. So ist auch die Briefnotiz von Thomas Mann an seinen Bruder besser zu verstehen. Er logierte zweimal mit seiner Familie im »Haus Kliffende« und schrieb 1927 an Heinrich: »Die Reize dieser Insel sind keusch und karg.«

Wer jedoch für diese Reize empfänglich war, der kehrte immer wieder zurück. Das gilt glücklicherweise für zahlreiche Gäste der schreibenden Zunft, sodass es eine Fülle von Zitaten gibt, die treffend zeigen, woran man sich erfreute und was man als bemerkenswert wahrnahm.

»Was doch die Leute für ein Getue mit Kampen haben …

Ich glaube, der sagenhafte Ruf dieses Ortes beruht auf reiner Einbildung. Kampen besteht zum größten Teil aus nichts als Luft, Wasser und Sand«, notierte Ernst Penzoldt, der durch seinen Roman »Die Powenzbande« bekannt wurde, Ende der 1940er-Jahre. Penzoldt liebte die Insel und kam immer im Hause des Verlegers Peter Suhrkamp unter. Der hatte das Glück gehabt, durch Heirat Eigentümer eines Kampener Hauses zu werden. Annemarie Hoboken, geb. Seidel, war die Auserwählte – eine Schwester der damals sehr populären Schriftstellerin Ina Seidel.

Annemarie, genannt »Mirl«, war frisch von Anthony van Hoboken geschieden. Ein sehr vermögender Herr aus Rotterdam, der vermutlich nur noch Liebhabern von Haydn ein Begriff ist, weil er dessen Werkverzeichnis erstellte.

Hoboken hatte seiner Frau den Wunsch nach einem Haus auf Sylt erfüllt – als Niederländer ließ er hierfür sogar die Klinkersteine aus Rotterdam einschiffen –, und nach der einvernehmlichen Trennung überließ er ihr diesen Wohnsitz. Durch ihre zweite Heirat mit Peter Suhrkamp im Jahre 1935 avancierte das Haus zum sogenannten Suhrkamp-Haus.

Der Verleger lud hierhin manch einen seiner Autoren ein, damit sie in der Einsamkeit neue Inspiration erfuhren. Einer der Gründe, warum beispielsweise Max Frisch die Schweizer Berge gegen die Sylter Heide eintauschte.

Dass Carl Zuckmayer hier ebenfalls einige Tage verbrachte, hängt jedoch damit zusammen, dass ihn und Mirl eine heftige Liebesaffäre verband – allerdings vor der Zeit, als Herr Hoboken die Bühne betrat.

Aber das ist jetzt ja schon ein wenig Klatsch und Tratsch.

Neben den Schriftstellern lockte die karge Insel zuallererst die Maler an. Zahllose Gemälde zeigen die nahezu unberührte Natur im Norden von Sylt. Da Kampen und der nördliche Inselteil alle insularen Landschaftsformen auf engsten Raum bieten, fand sich hier das von den Landschaftsmalern bevorzugte Freiluftatelier. Der Eindruck der fast archaisch anmutenden Natur war für manch einen so überwältigend, dass er den Mut verlor, überhaupt den Pinsel zu schwingen. Glücklicherweise war Emil Nolde von einer derartigen Malblockade nicht betroffen, als er 1930 zwangsweise auf der Insel ausharren musste, weil in Seebüll größere Umbauarbeiten an seinem Hause ein Leben für ihn dort unmöglich machten. Auch er logierte im »Haus Kliffende«, das 1923 vom Ehepaar Tiedemann an exponierter Stelle erbaut worden war und zu den beliebtesten Herbergen der Prominenz zählte. Allerdings blieb es Noldes einziger Besuch auf Sylt, und man kann darüber spekulieren, warum es ihn nicht noch einmal auf die Insel verschlagen hat. »Ich war aufgetan, wie blühende Blumen zur Sonne es sind, künstlerisch empfänglich jedem Laut und jeder kleinsten Anregung. … Wie ein Trunkener lief ich stundenlang den Strand entlang …«

An dieser Begeisterung kann man noch heute teilhaben, wenn man sich auf den Weg ins Nolde-Museum macht, das auf dem nahen Festland leicht nördlich von Niebüll liegt. Die Sylter Verkehrsgesellschaft und der DB AutoZug Shuttle bieten sogar Tageskombitickets von der Insel aus an (www.nolde-stiftung.de). In der kurzen Zeit von Sommer bis Herbst 1930 entstanden 19 Gemälde sowie zahlreiche Aquarelle, und es blieb Nolde sogar ausreichend Zeit, um mit den Arbeiten an seiner Selbstbiografie zu beginnen.

Immer wieder und wieder wird von den vielen illustren Gästen, die im ersten Drittel des 20. Jahrhunderts nach Kampen kamen, die eindrucksvolle Natur beschrieben.

1925 verbrachte Paul Tillich, einer der bedeutendsten

protestantischen Theologen des 20. Jahrhunderts (bei ihm habilitierte 1931 Adorno und nach seiner Emigration 1933 in die USA auch Susan Sontag), fünf Wochen in Kampen. Sein Biograf vermerkt: »Nachmittags schrieb er unaufhörlich, und abends traf sich das Ehepaar Tillich mit den Künstlern, Tänzern und Intellektuellen, die Kampen besuchten. Dabei wurde viel Rotwein und Champagner getrunken. Er genoss die dröhnende Brandung, die hohen Dünen, das graugrüne Gras, die purpurglänzenden Heidekrautfelder und die großen Klippen.«

»Nirgends war wie dort der Himmel wirklich Himmel, die Erde wirklich Erde und das Wasser wirklich Wasser«, formulierte es Ernst von Salomon, der mangels Zeichentalent mit Sprache malen musste. Das tat er teilweise sehr erfolgreich. Sein Buch »Der Fragebogen«, das größtenteils in Kampen geschrieben wurde, war nach dem Zweiten Weltkrieg der erste deutsche Bestseller, den sein Freund Ernst Rowohlt verlegte. Der im Übrigen selbst Kampen-Fan war, auch wenn er das Dorf nur als »Kaff« bezeichnete. Ernst von Salomon war eine schillernde Figur. In seiner Jugend, nach dem verlorenen Ersten Weltkrieg, war er Mitglied der Freikorpskämpfer. 1922 wurde er zu fünf Jahren Zuchthaus verurteilt, weil er sich der Beihilfe am Mord von Walther Rathenau – im Übrigen ebenfalls ein treuer Sylt-Gast – schuldig machte.

Dass dieser Mordfall von dem damaligen Polizei- und Beamtenapparat überhaupt bearbeitet wurde, dafür sorgte Siegfried Jacobsohn mit seiner Zeitung »Die Weltbühne«. Der Verleger dieser wichtigsten politischen Zeitung der Weimarer Republik war im Berlin der 1920er-Jahre bekannt wie ein bunter Hund, für ihn schrieben Kurt Tucholsky, Erich Kästner oder Erich Mühsam. Wäre er nicht bereits 1928 verstorben, wäre er mit Sicherheit einer der Ersten gewesen, der nach der Machtergreifung alles verloren hätte, und zwar nicht nur aufgrund seiner jüdischen Abstammung, sondern wegen seiner radikalen Texte gegen die Nazis. Heute kennen ihn nur noch wenige. Jacobsohn hatte sich ein altes Friesenhaus in Kampen gekauft und war glücklich, wenn er die Sommermonate hier verbringen durfte. Leider gelang es ihm nicht, Kurt Tucholsky oder Erich Kästner nach Sylt zu locken. Aber seiner Frau, die Kinderbücher verlegte, haben wir immerhin zu verdanken, dass Letzterer sich überhaupt entschied, so wunderbare Figuren wie Pünktchen und Anton zu erfinden. Aber das hat leider gar nichts mit Kampen zu tun …

Ein weiterer Aspekt, der Kampen früher für viele Gäste attraktiv machte, war die Ahnungslosigkeit seiner Bewohner. Kaum jemand wusste, wen er da unter seinem Dach beherbergte. Woher auch? Auf Sylt gab es kein Theater, wenige Zeitungen und wenn, dann meist lokale Blätter, und niemand fuhr nach Berlin, um sich mit dem dortigen Kulturleben auseinanderzusetzen.

Große Teile des damaligen »Who is Who« der Berliner Gesellschaft konnten unbehelligt am Strand liegen, durchs Dorf bummeln und ihre Freizeit genießen, ohne befürchten zu müssen, dabei erkannt zu werden. Es sei denn, man erkannte sich untereinander.

1919 schrieb Jacobsohn seinem Freund Tucholsky nach Berlin: »Lieber Tucho, gestern nähert sich der Laube vor meinem Logis ein Mann, der mir den halblauten Ausruf entlockt: die Beene kenn ick doch! Zu weit entfernt, als dass der Anblick seines Gesichts meinem Ahnungsvermögen nachhelfen könnte, bleibt er stehen und scheint zu warten. Schließlich gesellen sich ihm eine Dame und zwei Jungens, und als die Karawane herankommt, was sehen meine entzündeten Augen? Familie Max Reinhardt. Ohne zu grüßen – denn er ist der Meinung, dass ich auch seine schlechten Leistungen gut finden müsste …«

Hier wird deutlich, dass die Berliner sich auf Sylt wohl erholen konnten, aber offensichtlich ihre Zwiste und Streitereien mit auf Reisen nahmen …

Neben dem Suhrkamp-Haus oder dem Haus Kliffende gibt es ein weiteres wichtiges Haus in Kampen, dessen Geschichte ein Stück weit deutsche Geschichte widerspiegelt: den Klenderhof. Im alltäglichen Sprachgebrauch redet man von der »Springer-Burg« und unterschlägt damit die Entstehungsgeschichte dieses Hauses und das Schicksal seiner Erbauer.

Der namhafte Berliner Architekt und Grafiker Otto Firle – der Kranich im Lufthansa-Logo ist beispielsweise sein Entwurf – baute im Jahre 1933 dieses große zweiflügelige Haus im Norden des Dorfes, das von den Bauherren »Klenderhof« genannt wurde. Es war eine Auftragsarbeit unter Freunden für die jüdische Kaufhauserbin Charlotte Lindemann und ihren Mann Max Baldner, Cellist im damals populären Klingler-Quartett.

Das Ehepaar gehörte dem Großbürgertum Berlins an und verkehrte in Kreisen wie dem der Familie des Bankiers Franz von Mendelssohn. Dieses Publikum lud man neben vielen Künstlern in das damals noch einsame und kaum bekannte Kampen ein. Im Gästebuch finden sich die Namen der Schriftsteller Erich Schwabach, Manfred Hausmann und Richard Billinger, man ist zudem befreundet mit der Familie des Verlegers Samuel Fischer, dessen Enkelin später den Sohn Thomas heiraten wird. Die Dirigenten Erich Kleiber und Hans Schmidt Issenstedt musizieren im Hause ebenso wie die Sängerin Emmi Leisner und der Pianist Bruno Eisner, der – wie viele Gäste – später in die USA emigrieren muss. Im Klenderhof urlauben die Furtwängler-Sekretärin Frieda von Rechenberg, der Schauspieler Albrecht Schoenhals und der jüngste Sohn des Kronprinzen, der von allen nur »Fritzi« genannt wird.

Doch die Freude an dem für Sylter Verhältnisse prachtvollen Haus durfte nicht lange währen, denn 1938 erließ die Insel ein Aufenthaltsverbot für Juden. Max Baldner konnte allenfalls noch mit den Kindern, nicht aber mit seiner Frau dorthin reisen. In der Reichspogromnacht stürmten SA-Leute den Klenderhof und wüteten in den mit Kunst und Antiquitäten möblierten Räumen. Danach steht das Haus über Jahre leer, während Charlotte Baldner und ihre vier Kinder wie durch ein Wunder das Naziregime überleben. Ihr Mann, der sich geweigert hatte, sich von seiner jüdischen Frau zu trennen, stirbt jedoch kurz nach Kriegsende an den Folgen der Beugehaft.

Charlotte Baldner, die im Krieg ihr Vermögen verlor, ist nach dem Krieg gezwungen, die Zimmer des Klenderhofs an »paying guests« zu vermieten. Schließlich erliegt sie dem Charme von Axel Springer, der ihr im Jahre 1962 das Haus für 650 000 DM abkauft.

Was dann kommt, ist oft erzählte Geschichte. Springer nutzte das prachtvolle Anwesen nicht nur zum privaten Vergnügen, sondern auch, um wichtige Gäste in traumhaft schöner Umgebung beherbergen zu können. Darunter zahlreiche Politiker, aber 1968 auch Romy Schneider, die sich für Sylt allerdings nicht erwärmen konnte. Zu anstrengend der Marsch durch die Dünen zum Meer, zu kalt das Wasser und zu kräftig der frische Wind. Und als wenn das nicht reichen würde, hängt auch noch »an jeder Welle ein nackter Arsch«.

1973 logierte der ehemalige Bundeswirtschaftsminister Karl Schiller im Klenderhof. Ein Gast, der Axel Cäsar vermutlich teuer zu stehen kam. Denn nachdem dessen

Besuch in der Presse publik wurde, brannte der Klenderhof aufgrund von Brandstiftung zur Hälfte ab. Die Vermutung, der Anschlag stamme aus Kreisen der RAF, konnte nie bestätigt werden. Aber mit Sicherheit wäre der Schaden erheblich größer gewesen, hätte Springer der örtlichen Feuerwehr nicht ein Jahr zuvor ein neues Löschfahrzeug spendiert.

Bis 1982 nutzte Axel Springer das Anwesen. Doch nach dem tragischen Freitod seines Sohnes Sven Simon trennte er sich von allem, was ihn an Sylt band.

Mittlerweile hat das Haus noch dreimal seinen Besitzer gewechselt, das letzte Mal für 22 Millionen Euro …

Aber wann genau hat der Ort selbst den Wechsel in die Schickeria vollzogen? Weg vom Paradies für Freigeister, die den starren Konventionen der wilhelminischen Zeit entfliehen wollten, hin zur Flaniermeile für Menschen, die im Urlaub »Sehen und gesehen werden« spielen müssen? Auch in den 1950er- und 1960er-Jahren soll es noch sehr nett gewesen sein. Eine sogenannte Kampianerin – so heißen Gäste, die seit ewigen Zeiten in Kampen ihren Urlaub verbringen – erklärte mir unlängst, früher habe in Kampen der echte Sylt-Fan seinesgleichen getroffen, und wenn man auf Geld stieß, dann sei es ein »gesunder« Reichtum gewesen.

Aber Ende der 1960er-Jahre begann der Wandel. Die Presse der Wirtschaftswunderzeit mit den vielen neuen bunten Blättern entdeckte Sylt. Und die lesenden Massen wollten irgendwann an den viel zitierten Herrlichkeiten teilhaben. Oder, wie man in einer »Spiegel«-Ausgabe des Jahres 1966 lesen durfte: Sylt wirkt »wie der allerletzte offene Manöverplatz der deutschen Feriengemeinschaft. Nirgendwo sonst rückt der deutsche Mittelstand seiner Oberschicht so nahe, um ihre Lebensgewohnheiten zu studieren.«

Damals war Gunter Sachs der bekannteste Vertreter einer Gästeschar, die das Bild von Kampen wandeln sollte. In seiner Biografie schrieb er: »Sylt war vom ersten Moment an spannend.« Aber ihm ging es weniger um die Reize der Inselnatur als um das Ausleben seiner eigenen. Bereits eine Stunde nach der Landung »entwickelte sich ein erster Inselflirt … mit einer verlockend schönen Eingeborenen«. Die Sylter Nächte waren in dieser Zeit für manche Urlauber wie rauschende Feste. »Das ›Pony‹ war keine Bar, sondern eine Dampfküche für Weltanschauungen und Landebahn für Erosbummler«, fuhr Sachs fort.

Mittlerweile war die Zeit der sexuellen Befreiung angebrochen, es gab die Pille, und Kampen hatte mit der »Buhne 16« den bekanntesten FKK-Strand der Nation.

Und dann wurden in Kampen Filme gedreht, die den Ruf des Ortes völlig »ruinieren« sollten und dafür sorgten, dass manch eine katholische Mutter täglich den Rosenkranz für ihre Kinder betete, wenn sie erfuhr, dass deren Reise in das Sündenbabel Sylt führte.

Einer der Filme, 1967 erstmals gezeigt, hieß »Heißer Sand auf Sylt«, die Hauptrolle spielte übrigens Horst Tappert (!). Der Film war ein Skandal, denn man sah Brustwarzen und Schlimmeres, weshalb er auch nicht vor zwei Uhr morgens ausgestrahlt werden durfte. Wer diesen Film heute sieht, wird sich prächtig amüsieren. Die Aufnahmen sind, verglichen mit dem, was man heute zur besten Sendezeit im Fernsehen geboten bekommt, einfach nur niedlich.

»Sommer, Sylt und kesse Krabben« war ein Softporno mit Ingrid Steeger, und Oswalt Kolle entwarf derweil bei »Fisch-Fiete« das Konzept für seinen Aufklärungsfilm »Das Wunder der Liebe«.

Fortan waren »Sylt und Sünde« untrennbar miteinander verbunden. Die Journalisten haben dieses Bild so oft reproduziert, dass manch einer eher zu glauben scheint, was er liest, als das, was er tatsächlich erlebt, wenn er in Kampen unterwegs ist. Die mediale Darstellung und die Wirklichkeit klaffen weiter auseinander als die berühmte Schere.

Wenn ich durch Kampen streife – was zugegeben zur Hochsaison und abendlicher Stunde selten vorkommt –, treffe ich keinen sogenannten Promi. Die mittlerweile, so habe ich gelernt, in die Klassen »A«, »B« oder »C« eingeteilt werden. Ich hatte bisher nicht einmal das Glück, jemandem aus der letzten dieser Klassen zu begegnen. Aber vielleicht erkenne ich die Berühmtheiten nur nicht …

Kampen ist ruhiger geworden, und leider ist mir entfallen, wer vor wenigen Jahren sinngemäß recht bissig schrieb, die einstigen wilden Jünglinge seien auch nicht mehr das, was sie mal waren. Ihre um die Schultern geschlungenen Kaschmirpullover kämen ihm vor wie die »Windeln der alten Männer«.

Es gab und gibt zahlreiche Bemühungen, den Charme der Ortschaft zu erhalten, aber Kampens Schicksal ist das aller schönen Plätze dieser Welt. Jeder möchte ein Stück davon kosten und trägt ungeahnt zur Zerstörung bei.

»Die gröbsten Begleiterscheinungen wuchernder Wachstumsphantasien sollte man gerade auf Sylt zu vermeiden suchen. … Die meisten wünschen sich, dass alles so bleibt, wie es ist.« Um mit dem Unternehmer Michael Otto vom Otto-Versand mal einen Kampener Zweitwohnungsbesitzer zu zitieren, dessen Name heute noch bekannt ist.

Wenn man ehrlich ist, muss man hinzufügen, dass die Einheimischen selbst anfangs nicht unerheblich dazu beitrugen, dass sich ihr bis dato ursprüngliches Dorf so gewaltig veränderte. Hatte Kampen um 1900 noch 20 alte Friesenhäuser, waren 20 Jahre später schon 50 % des historischen Baubestandes an sogenannte »Fremde« verkauft. Und die

Friesen amüsierten sich oft über die Käufer, die für ihre alten Hütten noch »so viel« Geld ausgaben und für ihren mageren Acker bereitwillig ganze 20 Pfennig pro Quadratmeter zahlten.

Verkauft haben sie oft. Allerdings muss man auch erwähnen, dass es oftmals aus Not geschah, der verlorene Erste Weltkrieg mit seinen Folgen und die Wirtschaftkrise hatten auch vor Sylt nicht haltgemacht. *Hur Jil'es, es di Düüwel, en hur nönt es, diar es hi tamol.* (Wo Geld ist, ist der Teufel, und wo nichts ist, ist der zweimal.) Dass man aber, als die Zeiten besser wurden, wichtige Häuser, ohne mit der Wimper zu zucken, abgerissen hat, das ist bitter.

Wie das Wohnhaus von Ferdinand Avenarius, dem Verleger des »Kunstwart«, der auf der Insel sein Paradies gefunden hatte und hier 1923 starb. Avenarius war zu seiner Zeit der Kulturpapst der Deutschen, sozusagen der Reich-Ranicki um 1900. Er hatte sich dafür eingesetzt, dass jene Gebiete, die heute noch frei von Bebauung sind, wie das Listland und die Morsumer Heide, unter Naturschutz gestellt wurden. Was damals sicher nicht auf ungeteilte Zustimmung auf der Insel stieß, aber später ein Grund hätte sein können, respektvoller mit seinem Erbe umzugehen. Für sein originelles Haus, das Gäste wie Stefan Zweig, Gerhart Hauptmann, Käthe Kollwitz oder Franz von Stuck gesehen hatte, wünschte er sich eine Zukunft als »Begegnungsstätte für Künstler« – was den Abriss nicht verhinderte. Aus einer Gemeindevertretersitzung wird der Satz kolportiert »Lieber nicht erhalten, Künstler bringen zu viel Unruhe ins Dorf«, als sich einige wenige für das Stehenbleiben des Hauses einsetzen wollten.

Wenn seit Kurzem eine Grünfläche nach ihm benannt ist, dann ist das ein viel zu später Versuch, eine Erinnerungskultur zu etablieren. Bedauerlich auch, dass das Haus der

Tänzerin Valeska Gert seit 1981 nicht mehr steht, weil ihr Erbe Werner Höfer hier lieber ein Ferienhäuschen wollte. Valeska Gert, die mit ihrem unkonventionellen »Ziegenstall«, einer schrill geführten Bar, für viel Gesprächsstoff im Dorf sorgte, war mit Sicherheit eine exaltierte und oftmals anstrengende Person, aber sie war im Berlin der 1920er-Jahre eine der wichtigsten Vertreterinnen des Ausdruckstanzes, hat Filme mit Fellini oder Schlöndorff gedreht. Dass auch auf der Ostseeinsel Hiddensee noch im Jahre 2008 das Wohnhaus der Tänzerin Gret Palucca abgerissen wurde, tröstet in diesem Zusammenhang nur wenig.

»In der Dämmerung könnte man das Dorf für eine weidende Mammutherde halten …«, sinnierte Penzoldt 1948. Na, der würde sich heute wundern! Selbst die strenge Ortsgestaltungssatzung, die seit 1913 regelt, dass Neubauten mit Reet gedeckt werden und Rotklinker verwendet werden müssen und dass eine gewisse Größe nicht überschritten werden darf, konnte nicht verhindern, dass Kampen heute sehr artifiziell wirkt. Und im Winter, wenn nur geschätzte 20% der Häuser bewohnt sind, leblos und kalt. So schön und teuer die neuen Friesenhauspaläste auch sein mögen.

Im Sommer sieht die Welt ganz anders aus. Fröhliche Urlauber, die ihren Vergnügungen nicht nur am herrlichen Strand nachgehen können. Sondern viele Restaurants und Cafés, zwei Hände voll Immobilienbüros, ähnlich viele Juweliergeschäfte und noch mehr Label-Läden – demgegenüber aber nur ein kleiner Feinkostladen und keine Buchhandlung – warten auf die Gäste. Der Tourismusservice erinnert mit seinen Veranstaltungen des Literatursommers an die Künstlertradition der Ortschaft, und auch die Autorin wird nicht müde, im Sommer bei ihren Gästeführungen die Zeit von vor 100 Jahren wieder aufleben zu lassen. Dabei muss ich allerdings regelmäßig registrieren, dass die meisten Namen längst Schall und Rauch sind. Fällt der Familienname von Bohlen und Halbach, werde ich schon mal gefragt: »Ja, wo hat der Dieter denn sein Haus?« Und selbst der Name Gunter Sachs beschwor schon lange vor seinem Freitod keine Bardot-Phantasien mehr herauf.

Dafür kann man heute auf dem Kampener *catwalk* oder der Whiskystraße, wie der Strönwai genannt wird, weil hier »Gogärtchen«, das »Pony« und andere In-Lokale zu finden sind, zur Saison fabelhafte Entdeckungen machen. Die schicksten Autos, die neueste Mode, die frischesten Stylings, die aktuellsten Operations-Ergebnisse.

Als ich hier letzten Sommer mit einer guten Freundin entlangschlenderte, hörte ich sie beeindruckt murmeln: »O Herr, wie ist dein Tierreich groß!«

List – *List*

Die nördlichste Gemeinde unserer Republik hat immerhin einen originellen Namen. Wie auch das nördlichste Stück Landschaft, das nach einem Körperteil benannt ist, mit dem sich manch einer durchs Leben boxt, um auf Sylt Urlaub machen zu können: Ellenbogen. Der Königshafen, der im Übrigen nie ein Hafen im heutigen Sinne war, erhielt hingegen seinen Namen nach einer Seeschlacht im Dreißigjährigen Krieg, aus der ein dänischer König siegreich hervorging. Allerdings ganz ohne List. Und wenn es so wäre, hätte dies mit dem Ortsnamen rein gar nichts zu tun, denn dessen Übersetzung lautet ziemlich prosaisch »Rand« oder »Kante«.

List ist nicht einfach zu beschreiben.

Frage ich meinen Mann: »Was fällt dir spontan zu List ein?«, ernte ich einen verständnislosen Blick und erfahre, dass das ja wohl leicht zu beantworten sei. Kurz und knapp werden mir aus der Sofaecke die kryptischen Worte »herrliche Natur, Wanderdünen, die Weite, das Meer« zugeworfen. Aha.

Mir fällt noch ein, dass das Dorf früher nur eine Handvoll Häuser hatte, von denen behauptet wird, die Hälfte seien Kneipen gewesen. Und der Schwager meiner Schwiegermutter, der mit dem Tiger-Humor, pflegt, nach List befragt, eine alte Redensart abzuwandeln: »Es trinkt der Mensch, es säuft das Pferd, in List, da ist es umgekehrt.« Früher wurde List regelmäßig von den so geliebten Wanderdünen meines Mannes überrollt und in den 1930er-Jahren von der Militärmaschinerie des Dritten Reiches. Die Militärs haben aber immerhin die Wanderdünen direkt am Ort mit Strandhafer bepflanzen lassen, sodass List heute nur noch von Touristen überrollt wird, wenn sie ihr obligates Fischbrötchen am Hafen abholen oder die auf Reede liegende MS Europa bestaunen wollen.

List ist zweifelsohne im Umbruch. Um 1900 lebten hier keine 100 Menschen, die früher über Generationen hinweg dänische Staatsbürger waren. Denn im Norden der Insel verlief eine unsichtbare Grenze. Machten sich die Lister zu Fuß auf den Weg nach Süden, dann hieß es: »Wir gehen nach Sylt.« (Was die berechtigte Frage zulässt, ob die alteingesessenen Lister dann Sylter sind?)

Das ist nun allerdings schon 150 Jahre her, und eigentlich müsste man darüber gar nicht mehr schreiben, wenn es nicht der Grund dafür wäre, dass alles Land im Norden der Insel in Privathand ist. Ja, das haben Sie richtig gelesen. Wenn Sie von Kampen nordwärts fahren, dann befinden Sie sich ab Höhe der Vogelkoje, sollten Sie die Straße verlassen, auf privatem Grund und Boden. Das Land wurde bereits im 13. Jahrhundert als ein dänisches Lehen zwei Familien zur Bewirtschaftung überlassen, und noch heute gehört es den Nachfahren dieser Familien, den heutigen Listlandeigentümern. Die das Glück hatten, dass der Vertrag auch immer nur einen Hoferben zuließ, sodass die weite Dünenlandschaft im Norden nicht in jeder Generation geteilt wurde. Und bevor die Besitzer, als die Aufbruchszeiten auf Sylt begannen, mit ihrem Erbe Unfug treiben konnten, hat man es 1924 kurzerhand unter Naturschutz gestellt. Natürlich nicht unbedingt zur Freude der Eigentümer, stellen Sie sich vor, man stellt Ihre Gemüseecke einfach unter Naturschutz! Tatsächlich ist die Geschichte etwas komplizierter und länger, aber ich habe in anderen Kapiteln Ihre Geduld hinsichtlich geschichtlicher Details schon gründlich strapaziert, sodass wir hier mal großzügig sein können.

Als die deutsche Militärführung in den 1930er-Jahren die originelle Idee entwickelte, mit genügend insularen Häfen zu Wasser und zu Land könne man von Deutschlands Norden aus locker Großbritannien erobern, brachen neue Zeiten für List an. Plötzlich bevölkerten Tausende (!) Soldaten ein Dorf, das fortan keines mehr war. Dass das mit der Eroberung glücklicherweise schiefging, wissen wir, aber keiner weiß heute, 70 Jahre später, was aus den damals gebauten Kasernen werden soll, die jetzt auch die Bundeswehr nicht mehr benötigt.

Wenn man trotzdem etwas Gutes darin finden will, muss man eine Kuriosität erwähnen. Der damalige Baubeginn des sogenannten Seefliegerhorstes erfolgte so weit zu Anfang des Regimes, dass man noch vorsichtig war und die Nationalsozialisten in dem kirchenlosen List ein Gotteshaus (!) erbauen ließen. So ist St. Jürgen ursprünglich eine nationalsozialistische Garnisonskirche, was man ihr zum Glück nicht ansieht, aber der Grund für einen längst getilgten Farbenrausch in den 1970ern sein könnte. Auf diese Weise kamen die Lister jedenfalls auch zu einem Friedhof, der heute zu den schönsten Friedhöfen der Insel gehört.

Er liegt versteckt in einem Dünental und lädt förmlich zu Erkundungstouren ein.

Hier liegt das Grab eines bedeutenden Flugpioniers, sozusagen des deutschen Charles Lindbergh. Als die Sylter 1927 gerade ihren Bahndamm einweihten, gelang Lindbergh die erste Alleinüberquerung des Atlantiks von New York nach Paris per Flugzeug. Der Deutsche Wolfgang von Gronau hat dann im Jahre 1932 als Erster eine Weltumrundung mit einem bei Dornier gebauten Wasserflugzeug geschafft. Ziel- und Endpunkt seiner viermonatigen Reise war, kaum zu glauben, List auf Sylt.

Wer auf das Grab von Hannelore Frank stößt, müsste seit den 1950er-Jahren Fan des TV-Klassikers »Das Wort zum Sonntag« sein, um sich an eine Pastorin zu erinnern, die als erste Frau in dieser bemerkenswerten Sendung zu Wort kam und für lebhafte Diskussionen sorgte. Eine ungewöhnliche Person, die zum Entsetzen von Kommilitonen und Dozenten als Theologiestudentin ihre Haare färbte und ihre Lippen schminkte! Und St. Jürgens Kirchenbänke später in Spinatgrün und Blutrot streichen ließ.

Vom Friedhof aus kann man die Kasernen fast sehen, knapp 20 gewaltige Gebäude im Zentrum der Ortschaft, die jeden Stadtplaner verzagen lassen. Die Gemeinde wünscht sich einen Ort der Lehre, einen Campus, eine private Hochschule. Im Jahre 2007 erwarb eine Gesellschaft vom Bund das 18 Hektar große Gelände zu günstigsten Konditionen für diese Zwecke. Doch nur sechs Jahre später musste man erkennen, dass die Hoffnungen und Träume, die in den Investor Graf von Hardenberg gesetzt worden waren, wie eine Seifenblase zerplatzten. Und wie das immer so ist, jeder sieht die Schuld beim anderen - der Berliner Flughafen lässt grüßen! Dass der Investor nun gerne Wohnungen auf dem Gelände bauen will, ist genauso verständlich wie der

Verdacht, dass nicht jeder über das Scheitern der ursprünglichen Pläne traurig ist … Die Gemeinde hat seit dem Weggang der Bundeswehr zudem noch die Not, die verlorenen Arbeitsplätze zu ersetzen, und deshalb ein knapp 400 Betten großes Hotelresort genehmigt, übrigens in den Kasernen gar nicht so unähnlicher Bauweise. Laut Bürgermeister soll es »ein Flaggschiff des Tourismus im Ort« werden.

Wenn ich zum Hafen komme, von dem auch die Fähre nach Dänemark ablegt, denke ich an das Zitat von Schwiegermutters Schwager. Man könnte noch hinzufügen: »Es schwimmt der Fisch, es stinkt der Rum, in List, da ist es andersrum.«

Dass die Gemeinde ihrem Ballermann-Image entgegenwirken möchte, erkennt man nicht nur an den Planungen für eine Bildungsstätte im Kasernenhof. Längst fertiggestellt ist der markante blaue Bau des *Erlebniszentrums Naturgewalten*, das insbesondere in Hinblick auf seine Entstehung auf Sylt einmalig ist. Im Jahre 1998 traten drei junge Wissenschaftler aus dem vor Ort ebenfalls ansässigen Alfred-Wegener-Institut an die Gemeinde heran. Mit einem mutigen Konzept in der Tasche. Matthias Strasser, heute Projektleiter, konnte nicht nur die Lister von den Ideen einer Ausstellung zum Thema Natur, Globalisierung und Gefährdung überzeugen, sondern Fördermittel und Spenden einwerben, die elf Jahre später zur Einweihung dieses ganz besonderen Bauwerkes führten.

Auch hierfür hätte der Friese ein passendes Zitat auf Lager: *»Ark Drööp helpt«, sair di Mürk en peset ön Hef.* (»Jeder Tropfen hilft«, sagte die Ameise und pisste ins Meer.)

Tinnum – *Tinem*

Bei Peters klingelt es regelmäßig. Mal am Telefon, mal an der Tür. Und wenn es Fremde sind, weiß man schon, bevor die freundliche Begrüßungsfloskel angestimmt wird, worum es geht. Ob man nicht das große Grundstück vor ihrer Tür als Bauplatz verkaufen wolle?

Eine Gartengröße von 6000 Quadratmeter ist für manch einen anscheinend schwer auszuhalten. Den Antragstellern ist mit Sicherheit nicht klar, was sie da vorhaben. Das alte Friesenhaus, in der wirtschaftlichen Blütezeit des 18. Jahrhunderts, im Jahr 1786, neu erbaut, ist in seinen Ursprüngen erheblich älter. Der Hausplatz gehört seit 1609, also seit 400 Jahren, Peters und seinen Vorfahren. Wie früher üblich, lag das Haus inmitten des ausgedehnten Stavens (fries. Hausplatz), dessen Grünflächen selbstverständlich bewirtschaftet wurden. Hier pflanzte man Gemüse an und ließ die Kuh grasen, damit der Weg zur morgendlichen Milch nicht so weit war. Die ältesten Bäume im Garten sind über

100 Jahre alt, auch wenn man ihnen das nicht unbedingt ansieht, weil sie klein von Statur sind. Das raue Sylter Klima lässt die Bäume der Insel weder in den Himmel wachsen noch richtig kräftig werden. Dafür tragen die knorrigen Stämme alle eine elegante Sturmfrisur, die ihnen der kräftige Westwind – eine Art Föhn für Bäume – verpasst.

Das in die Jahre gekommene Haus, das noch keine Luxussanierung erfuhr, wurde ursprünglich groß und prachtvoll gebaut, im Verhältnis zur kleinen Landstelle eher etwas überdimensioniert. Aber der Erbauer, Kapitän Frödden, konnte sich diesen Aufwand mühelos leisten, das notwendige Geld zum Leben wurde ja nicht auf der kargen Insel verdient. Und das wenige zum Hof gehörende Land, das von den Frauen bewirtschaftet wurde, musste nicht zur Ernährung der Familie ausreichen, denn Fröddens Heuer konnte sich sehen lassen. Die Arbeitsteilung war klar definiert: Während die Männer die Meere durchpflügten, pflügten die Frauen den heimischen Acker.

Die Familie Frödden gehört zu den bedeutendsten Familien der Insel. Gewissermaßen die Sylter Kennedys. Sie stellten Landvögte, Kirchspielvögte, Deichvögte und Ratsmänner, waren reich und übten Wohltätigkeit (die erste Orgel auf der Insel wurde 1787 der Keitumer Kirche von Friedrich Frödden geschenkt) und haben eine tragische Familiengeschichte (Söhne blieben zur See, Andreas Frödden landete auf einem algerischen Sklavenmarkt). Nur ob sie auch ein Faible für vollbusige Blondinen hatten, ist leider nicht überliefert.

Doch das alles ist schon so lange her, dass man vieles vergessen hat. Von Herrn Peters' Urgroßvater, einem Kapitän, der im Übrigen den Namen Peters in die Familie brachte, als er 1878 Gondel Frödden heiratete, wird immerhin noch berichtet, dass er die rumänische Königin mit seinem Segelboot durch Sylter Gewässer lenkte. Aber das ist natürlich kein Vergleich zu dem, was man früher so schaukelte. Zu Urgroßvaters Zeiten musste die kleine Hofstelle die Familie jetzt komplett ernähren, was nur möglich war, weil von Nachbarn, die die Landwirtschaft längst aufgegeben hatten, Land dazugepachtet wurde.

Erzählte Herr Peters (im Oktober 2012 verstorben) von seiner Kinderzeit, wenn die Familie mit Pferd und Wagen nach Tinnum fuhr, um die Großeltern zu besuchen, erfuhr man, dass die Häuser, die hier damals standen, an zwei Händen aufzuzählen waren. Reich war keiner. *Diar liit di Harev al noch üp Hüs.* (Da liegt die Egge wohl noch auf dem Hausdach.) Ein besonderer Ausdruck für Armut, denn mit einer Egge konnte man das Reetdach provisorisch fixieren, wenn der Sturm Schaden angerichtet hatte. Wer kein Geld für den Dachdecker hatte, bei dem blieb die Egge im Dach liegen. Die zwei Kühe und das sonstige Vieh reichten den Tinnumer Bauern zur Selbstversorgung, aber auch nicht zu mehr. Wenn man mit dem Melken spät dran war oder der Bulle ausbüxte, konnte man sicher sein, dass das am nächsten Tag Dorfgespräch war, weil jeder alles beobachten konnte. Eine ungestörte Weite bringt oft eine dichte Nähe mit sich.

Als man den geschichtsträchtigen Hof übernahm, hatte der Wandel bereits begonnen. Frau Peters erinnert sich, wie froh man war, in den kurzen Wochen der Sommerferien auch ein wenig vermieten zu können. Dafür wurde der eigene Nachwuchs ins elterliche Schlafzimmer umquartiert, und im Gegenzug stellte man zwei Gästebetten ins Kinderzimmer. In den Pesel, die gute Stube mit den Fliesen aus Holland an den Wänden, die Kapitän Frödden einst mitgebracht hatte, passten drei Betten, die Teilküchenbenutzung kostete 50 Pfennig extra. Die Gäste waren genügsam und vergleichsweise unkompliziert. Gemessen an dem schwer verdienten Geld auf dem Hof, brachten sie leichtes Geld.

Dann kam der Bauboom der 1950- und 1960er-Jahre, Tinnum begann sich durchgreifend zu verändern, denn es gab nur wenige Inselgemeinden, die in vielerlei Hinsicht entsprechend ideales Bauland aufwiesen wie diese Gemeinde zwischen Westerland und Keitum. Für 8–15 DM pro Quadratmeter konnte man ehemaliges Bauernland erstehen. Die Tinnumer hatten plötzlich dreimal so viele Nachbarn wie früher.

Der Ort entwickelte sich zum Rückzugsraum für die echten Sylter. Denn das, was die Gäste suchten, Meer und Strand, liegt bei den Tinnumern nicht vor der Haustür, so dass Wohnungssuchende hier weniger Konkurrenz finden. In Tinnum fehlt die Glitzerwelt des Tourismus, Tinnum ist eher das Barmbek von Sylt.

Hier geht es reell zu, wie der Norddeutsche sagt, es gibt kleine Autowerkstätten, handwerkliche Einmannbetriebe, eine Grundschule mit sieben Klassen, bis 1996 sogar noch eine Meierei und Verkaufsstände mit selbst gemachten Marmeladen am Wegesrand mit einer Geldkassette zur ehrlichen Selbstbedienung.

Die einzige Nuss, die die Tinnumer nicht knacken konnten, war, dass sie immer im Weg waren, wenn es um insulare Verkehrsplanung ging.

In den 1920er-Jahren wurde das Jahrhundertbauwerk der Reichsbahn mitten durch die Ortschaft und Hofstellen gefräst. Das war nun mal der kürzeste Weg nach Westerland. Als Trostpflaster erhielten die Tinnumer immerhin einen eigenen Bahnhof, der aber nach wenigen Jahren unfairerweise stillgelegt wurde. Dann kamen die 1930er-Jahre, und die damaligen Machthaber bauten für ihre Eroberungspläne einen Flugplatz mit Landebahn, auf dem heute theoretisch ein Jumbojet landen könnte. Eine Information, die ich Ihnen hier hinter vorgehaltener Hand gebe und die Sie nicht weiter verbreiten sollten, sonst kommen Air Berlin & Co. noch auf dumme Gedanken. Unglückseligerweise war das damals benötigte Land meist Tinnumer Gebiet. Wer nicht verkaufte, wurde schon mal enteignet.

Später wurde die Kreisstraße ausgebaut, und wieder waren es die Tinnumer, die Land hergeben mussten, auch damit Anfang der 1970er-Jahre die große Überführung über die Gleise gebaut werden konnte. All das bescherte den Westerländern einen zügigen Verkehrsfluss und den Tinnumern eine irreparable Abneigung gegen Westerländer Verkehrskonzepte.

Damit Geld in die Gemeindekassen kam, wurden Gewerbegebiete ausgewiesen, und nichts von all dem machte Tinnum schöner.

Immerhin – ein paar kleine Inseln des Glücks und der Ursprünglichkeit blieben. Wie die Tinnumburg, die mitnichten ein friesisches Neuschwanstein ist, sondern ein relativ unspektakulärer Ring aus aufgeschüttetem Klei. Eine Art kreisrunder Deich, aber immerhin acht Meter hoch. Nichtsdestoweniger archäologisch gesehen ein bedeutendes Denkmal, dessen Funktion nicht eindeutig geklärt ist. Vermutlich um Christi Geburt als Kultplatz gebaut, spätere Spuren zeigen deutlich, dass die »Burg« 1000 Jahre später von den Wikinger erneuert wurde. Örtliche Sagen erzählen zudem von einem Steuereintreiber des dänischen Königs, dem die Bevölkerung Zins und Tribut abliefern musste. Er soll sich in der Burg verschanzt haben, was wiederum einige Sprachforscher zu der Annahme beflügelt, daher stamme der Ortsname Tinnum, auf Friesisch *Tinem*. Und das wiederum hört sich so an wie *Zinsheim*.

Und dann gibt es den privaten Tierpark der Familie Christiansen. Zu meiner Schande muss ich gestehen, dass mich erst eine unfreiwillige Kinderbetreuungspflicht in dieses kleine Paradies geführt hat, in das ich jetzt jedes Kind schleppe, ob es will oder nicht. Letzteres erledigt sich übrigens nach zwei Minuten, denn die Anlage ist ein Kleinod und hat nichts mit all dem zu tun, was Sie bisher mit Zoo oder Tierpark verbinden. Nicht nur, dass alles liebevoll gepflegt ist und eher an einen Park als an einen Zoo erinnert, mit der Eintrittskarte erwirbt man zugleich eine große Packung Zwieback, deren Inhalt man an Esel, Meerschweinchen, Kaninchen, Vögel oder was einen sonst noch anstupst, verfüttern kann. Viele Spielgeräte, Tretboote und sogar ein kleines Karussell sorgen für Abwechslung, bevor man sich wieder auf die Suche nach den drolligen Ferkeln der Hängebauchschweine macht, die so herzbrechend possierlich sind.

Und schließlich gibt es noch den Fröddenhof. Er steht wie eh und je an seinem Platz und trotzt dem Sturm und Wind, wie die knorrigen und zerzausten Bäume in dem großen Garten.

Hoffentlich klingeln die Leute noch lange vergebens bei Peters an der Tür. Wenn es nach mir ginge, würden die beiden Alten noch hundert Jahre leben oder mindestens so lange, bis man verstanden hat, dass weder der Garten als Bauplatz für neumodische Friesenhauskarikaturen herhalten noch das Haus durch eine sogenannte Kernsanierung seiner Seele beraubt werden darf.

Keitum (*Kairem*) und St. Severin

1905 muss ein hartes Jahr für die Keitumer gewesen sein. Zwar hatte sich die Entwicklung schon abgezeichnet, aber bekanntlich stirbt ja die Hoffnung zuletzt. Westerland erhielt Stadtrechte, und damit war klar, welche Gemeinde das Rennen um die Vormachtstellung auf der Insel gewonnen hatte. Der Verlust war auch deshalb schwer zu ertragen, weil die Westerländer vor noch gar nicht langer Zeit zu den Ärmsten der Armen auf der Insel gehört hatten und die Keitumer, seit Jahrhunderten an ihre Sonderstellung als Inselmetropolenbewohner gewöhnt, sich nun auf unerklärliche Weise ins Abseits gedrängt sahen.

Verlierer haben nicht viele Möglichkeiten, aber allen gemein ist wohl, dass man versucht, das Beste aus der Situation zu machen. Dennoch – letztendlich hat man den Westerländern diese Schmach nie verziehen.

Die Keitumer besannen sich auf ihre eigenen Stärken und betonten das Friesentum. Man grenzte sich gegen »die

Fremden« ab und gründete die *Söl'ring Foriinig* (was friesisch ist und »Sylter Verein« heißt), weil man erkannt hatte, »es schwindet alte Eigenart, Sprache, Sitte immer mehr«.

Der Verein richtete zwei Museen ein, die bis heute als einsame Inseln der friesischen Kultur Bestand haben.

Die meisten Keitumer zogen sich in ihre alten Friesenhäuser zurück, nur wenige wanderten in den Westen ab. Man blieb unter sich und amüsierte sich höchstens über die wenigen Badegäste, die sich im Sommer ins Dorf verirrten und schier gar nichts verstanden. Weder Friesisch noch den Wechsel von Ebbe und Flut. Sie kauften den alten Plunder aus Seefahrertagen, der seit fünf Generationen das Haus verstopfte, und stolperten mit kleinen Schühchen und Schirmchen, die vom Wind kurz und klein gehackt wurden, über die Heide. In dieser Zeit entstand das Schimpfwort »Badegast«. Sich so *dösig as'n Badegast* anzustellen, gehörte zu den schlimmsten Beleidigungen der damaligen Zeit.

Die Badegäste kamen nach Keitum fast nur als Tagesgäste. Denn das kleine Friesendorf liegt an der Wattseite, kann keinen Strand mit Brandung bieten, sondern nur braunes Wasser und bei Ebbe Schlickwatt, das im Sommer zudem gottserbärmlich stinken kann. Da auch niemand in kleinen, dunklen Friesenhäusern ohne Bad und fließend Wasser urlauben wollte, konnten sich die Keitumer jahrzehntelang der Illusion hingeben, alles sei wie vor hundert Jahren. Nur die seltenen Fahrten nach Westerland brachten Ernüchterung.

Aber wer zuletzt lacht, lacht ja bekanntlich am besten.

Nachdem die Westerländer bereits seit 100 Jahren den Umgang mit dem Kurgast pflegten, passierte in den 1950er-Jahren etwas, was die Keitumer kaum noch für möglich gehalten hätten.

Wenn auch zaghaft, begann in dem einstigen Hauptdorf das Pflänzchen Fremdenverkehr zu blühen. Es ist ein Dorf mit einem selten schönen Bestand an historischen Friesenhäusern, größtenteils im letzten Drittel des 18. Jahrhunderts erbaut. Meist von Seefahrern, die ihr Glück als Walfänger oder Handelsseefahrer gemacht und in kürzester Zeit so viel verdient hatten, dass das Geld noch für die nachfolgenden Generationen reichte, wenn man es klug anstellte.

Zwar war nach zwei Weltkriegen in fast jedem Haus das Vermögen aufgebraucht. Doch auch wenn den Deutschen noch der Krieg in den Knochen steckte, langsam ging es aufwärts. Das deutsche Wirtschaftswunder produzierte wieder Badegäste, die jetzt Urlauber genannt wurden, in ausreichender Zahl, und neuerdings sogar einige mit Automobil. Damit konnte Keitums Manko, der entfernt liegende Strand, ausgeglichen werden. Außerdem war Keitum billiger als Westerland oder Kampen, alte Friesenhäuser standen hier noch für 15 000 DM zum Verkauf.

Das Dorf, das zu diesem Zeitpunkt noch knapp 30 landwirtschaftliche Vollerwerbsbetriebe hatte, schloss die Ställe und baute Zimmer zur Vermietung aus. Jedenfalls taten das die meisten. Bauern, die Bauern bleiben wollten, wurden an die Dorfränder ausgesiedelt.

Die Zeiten waren in den letzten Jahren nicht rosig gewesen. Wer konnte, verkaufte sein altes, baufälliges Haus.

Die meisten anderen verschönerten ihre geerbten Friesenhäuser, indem sie die kleinen Sprossenfenster, die wenig Licht ins Haus ließen, durch große Thermopanescheiben in Kunststoffrahmung ersetzten. Die geschnitzten alten Holztüren, die ja auch schon 200 Jahre alt waren, wurden gegen pflegeleichte Industrieware ausgewechselt und die historischen Fliesen von den Wänden gekloppt, denn Raufasertapete sah doch viel schöner aus.

Denkmalschützer zu sein war damals mindestens so unterhaltsam wie bei einem Fußballspiel als HSV-Anhänger in den Fanreihen von Bayern München zu sitzen.

Die Begeisterung der Hausbesitzer hielt sich jedenfalls in Grenzen, als Keitums historischer Ortskern unter Schutz gestellt werden sollte, denn damit wurde die nach dem Krieg notwendige Renovierung der Häuser ja noch teurer. Übrigens war nicht das Ortsparlament auf die sinnige Idee verfallen, sondern es ist dem Engagement weniger vorausschauender Bürger zu verdanken, dass Keitum erst einmal ein Kleinod blieb. Manches Haus konnte gerettet werden, und hätte es in den 1970er-Jahren nicht einen Brandstifter gegeben, der mit Leidenschaft Feuerwehrmann war, dann hätte Keitum einen noch höheren Bestand an historischen Gebäuden.

Der Fremdenverkehr entwickelte sich anfänglich zaghaft. Das erste Hotel stand erst 1970 im Dorf, damals wurden 9900 Badegäste gezählt. Darüber werden sich die Westerländer amüsiert haben, denn das entsprach den Gästezahlen, die 100 Jahre zuvor ihren Urgroßeltern Freude bereitet hatten.

Lange blieb Keitum beschaulich. Es gab Webereien und Antiquitätengeschäfte, und es siedelten sich zahlreiche Kunsthandwerker und Goldschmiede an. Aus den zwei Cafés ging man beglückt nach Hause, denn es gab hier echte Friesentorte und heißen Kakao, der noch mit Milch und richtiger Schokolade aufgekocht wurde. Die kleinen Wege, gesäumt von den alten Friesenhäusern und ihren üppigen Gärten, machten Keitum zu einem Kleinod. Max Frisch nannte es nur »das grüne Vergessen«.

Aber diese Idylle währte nur bis Ende der 1980er-Jahre. Ein Boutiquenbesitzer, bisher in Kampen erfolgreicher Geschäftsmann, versuchte es mit einem Zweiggeschäft im friedlichen Keitum. Schon in der ersten Saison war der Umsatz doppelt so hoch wie in seiner Kampener Filiale, die er bald darauf schloss, um ganz nach Keitum zu gehen, wo die Miete zudem günstiger war. Das sprach sich wie ein Lauffeuer unter der Konkurrenz herum, die natürlich nicht das Nachsehen haben wollte. Die Preise explodierten, und in kürzester Zeit hatte Keitum ein Shopping-Angebot, das den Einheimischen die Tränen in die Augen trieb. Kaschmirpullover zum Preis einer Monatsmiete. Und das in den Räumen der ersten Inselschule, in der man früher aus ganz anderen Gründen Bauchschmerzen hatte. Ob der Höker des Dorfes Bestand haben würde, stand damals in den Sternen.

Keitum entwickelte sich zu einer Art Kampen ohne Strand und Bars. Dessen Werdegang formulierte treffsicher Claus Jacobi: »Erst ist es schön, dann schick, dann Schickimicki.«

Der neue »Fortschritt« in Keitum und die damit notwendige Planung gingen an den Gemeindevertretern offensichtlich vorbei. Sie reagierten nur noch auf die über sie einstürzenden Bau- und Genehmigungsanfragen, ohne sich erst einmal hinzusetzen und gründlich zu überlegen: Was wollen wir eigentlich? Oder zu fragen: Was bedeutet es, wenn wir die Nachfrage befriedigen? Viele profitierten sogar davon. Makler in Keitum zu sein und im Gemeinderat über Bebauungspläne abzustimmen, das war kein Widerspruch.

Und so nahm das Schicksal seinen Lauf, nichts war mehr wie immer. Und es kam noch schlimmer.

Dem Freibad, das der Gemeinde 1969 von einem Unternehmer geschenkt worden war, hatte die notwendige Fürsorge gefehlt, und es war zur Jahrtausendwende ein teures Reparaturobjekt geworden. Mit Blick auf Westerland, den ewigen Konkurrenten, verfiel man auf die Idee, anstelle der maroden Freianlage auch ein großes Erlebnisbad haben zu wollen. Unglücklicherweise wurde diese Schnapsidee von Landesseite gefördert, obwohl wenige Kilometer weiter westlich schon ein großes Bad mit allem Drum und Dran steht. Da die Gemeinde kaum weiteres Geld hatte, brauchte sie einen Finanzier. Um hier niemanden mit politischem Dilettantismus zu langweilen, sei nur so viel gesagt – es ging natürlich schief. Die miserable Planung ließ Keitum sogar in den Genuss mehrerer Fernsehreportagen kommen, und man gewann zudem die Aufmerksamkeit führender Wirtschaftsmagazine der Republik, die Keitum in ihren Berichten als gelungenes Beispiel für Verschleuderung von Steuergeldern anführten.

Nach dem Motto: *Wan dit Jil' ap es, da kum-s tö Omtaachten.* (Wenn das Geld alle ist, wird nachgedacht.)

Um sich nicht aufzuregen, sollte man das alles mit Humor nehmen. Auch die Unfähigkeit, Folgewirkungen zu kalkulieren, wie den logischerweise ansteigenden Verkehr. Dabei hatten die Keitumer nach 30-jähriger Planung doch endlich ihre Umgehungsstraße erhalten, damit das Dorf entlastet würde. Übrigens mit einem Kreisel, dessen Lage noch mehr Humor verlangt … Es wird das Geheimnis der damaligen Mandatsträger bleiben, wie man eine teure Umgehungsstraße, die den Verkehr aus dem Dorf heraushalten sollte, mit den neuen Planungen, die genau das Gegenteil verlangen, vereinbaren konnte.

Das vorläufige Ende vom Lied? Nach der Kommunalwahl von 2008 gewann die langjährige Opposition 60 Prozent der Sitze im Parlament und konnte zusehen, wie sie mit dem Scherbenhaufen fertig würde.

Da aber gleichzeitig mit der Wahl über eine Fusion von mehreren Sylter Gemeinden durch einen Bürgerentscheid abgestimmt wurde, liegt heute die Verantwortung für die Missplanungen nicht mehr beim Dorf, sondern beim Inselparlament. Das wiederum muss sich mit einem Insolvenzverwalter rumschlagen, der seine Arbeit wenig zügig erledigt. Außerdem müssen die neu gewählten Politiker, die bisher mit Keitum wenig am Hut hatten, da sie ja in den anderen Gemeinden unterwegs waren, erst einmal lernen, insular zu denken. In Anbetracht der Rückzahlung von Fördermitteln (rd. 1 Mio. €) und aufgelaufener Kosten von rd. 13 Mio. € nicht gerade eine leichte Übung …

Das als kleiner Eindruck von dem, was die Einheimischen in diesem beschaulichen Dorf so bewegt.

Keitum ist nicht nur das schönste Dorf der Insel, sondern hier steht zudem die bedeutendste Kirche des Eilands. St. Severin, deren Bauanfänge sicher ins 12. Jahrhundert zu datieren sind, hat diesen Namen allerdings erst später erhalten. Denn rund 300 Jahre nach dem Baubeginn der Kirche wurde eine erneute Missionierung der Insel nötig. Die Friesen waren zwischenzeitlich abtrünnig geworden und hatten es noch einmal mit ihren alten Göttern versucht. Darauf musste die Kirchenmacht in Rom natürlich reagieren,und im Namen des heiligen Severin von Köln wurden erneut Priester gen Norden geschickt – vielleicht auch strafversetzt? Sonderlich reizvoll war es für damalige Diener Gottes sicher nicht, ans Ende der Welt entsandt zu werden, wo die Lebensbedingungen alles andere als angenehm waren.

Wie auch immer, in dieser Zeit erhielt das Gotteshaus seinen jetzigen Namen.

Bemerkenswert ist bereits die Lage der Kirche. Weit außerhalb der Ortschaft wurde sie auf einer Anhöhe errichtet, was sicherlich damit zusammenhängt, dass vor ihrer Erbauung an diesem Ort bereits ein Heiligtum existierte. Hier befand sich nach Überlieferungen ein Heiligtum der germanischen Göttin Freia oder »Frigga«, wie die Friesen sie nannten. Sie war die Gemahlin des Odin und für Fruchtbarkeit und Liebe zuständig. Diese Frigga muss trotz der Christianisierung um 800 nach Christus immer noch eine solche Machtfülle besessen haben, dass es ratsam schien, ihr Heiligtum durch den Bau einer christlichen Kirche am selben Platz zu zerstören. Ansonsten wäre man wohl Gefahr gelaufen, sich auf Dauer mit einem lästigen Konkurrenten in Sachen Glauben herumschlagen zu müssen. Die erhöhte Lage der Kirche hat also nichts damit zu tun, dass man sie sturmflutsicher erbauen wollte. Als St. Severin entstand, gab es das Thema Meeresspiegelanstieg und Landzerstörung durch Sturmfluten im heutigen Sinne noch nicht. Der im Jahre 2010 renovierte Turm wurde im 15. Jahrhundert als letzter Baukörper dem Kirchenschiff westlich angegliedert. Er war, bis die ersten Leuchttürme errichtet wurden, über Jahrhunderte das höchste Gebäude der Insel. Man hat ihn gleich so entworfen, dass er bei Tageslicht auch als Seezeichen taugte. Er wurde nämlich nicht rund gebaut, sondern mit einem Satteldach versehen, damit Schiffer weit draußen auf dem Meer erkennen konnten, wo sie sich befanden. Sahen sie die Giebelfront, lagen sie westlich oder östlich der Kirche, konnten sie das Turmdach erkennen, war klar, dass sie südlich oder nördlich von Keitum unterwegs waren.

Erst seit den 1980er-Jahren des letzten Jahrhunderts betritt man die Kirche durch den Turm, die Haupteingänge waren in früherer Zeit an der Nord- bzw. Südwand des Kirchenschiffs. Die große Glastür, die ins Kircheninnere führt, wurde von der Familie Berthold Beitz anlässlich einer Hochzeit gespendet. Wunderschön sind die Türgriffe, die als Pottwale gestaltet wurden und auf die Geschichte der Insulaner als erfolgreiche Walfänger hinweisen.

St. Severin ist innen recht schlicht gestaltet, ausgenommen drei große, aufwendig gearbeitete Kronleuchter aus Messing, die wirklich prunkvoll sind. Sie stammen alle aus den Niederlanden und wurden von wohlhabenden Kapitänen gestiftet.

Die kleine Kanzel hat Pastor Cruppius, der 38 Jahre in St. Severin seinen Dienst versah, in Mögeltondern erworben und 1699 der Kirche geschenkt. Sein Gehalt, das von der reichen Gemeinde finanziert wurde, war dafür offenbar üppig genug. Die fünf Relieffelder zeigen Allegorien von göttlichen und menschlichen Tugenden wie Treue, Glaube, Liebe, Gerechtigkeit und Mäßigkeit.

Neben Cruppius sind alle Prediger dieser kleinen Kirche, die seit der Reformation hier wirkten, auf großen schwarzen Tafeln im Chorraum verzeichnet. Über die Jahrhunderte versahen 23 Pastoren ihren Dienst, erst seit 2005 – an 24. Stelle – ist erstmals eine Frau an St. Severin berufen worden ...

Der Altar gehört zu den Flügelaltären. Die Figur der entzückenden Maria mit dem Jesuskind zeigt, dass er aus der Zeit vor der Reformation stammen muss (vermutlich kam er Ende des 15. Jahrhunderts in die Kirche), die auf Sylt im Jahre 1536 für abgeschlossen galt.

Wer die Kirche verlässt, dem fällt die Orgelempore ins Auge, die im letzten Jahr vor der Jahrtausendwende neu gestaltet wurde. Der Prospekt wurde von dem Bildhauer Ulrich Lindow geschnitzt, und wer sich die farbig bemalte Holzarbeit in Ruhe ansieht, wird erkennen, dass der Künstler Motive des Alten und Neuen Testaments darin verwoben hat. Im rechten Teil finden sich Bilder des Alten Testaments, wie der Baum der Erkenntnis mit der Schlange. Im linken Teil entdeckt man u. a. Rebstock, Weintrauben und Palmwedel. Und direkt über dem Organisten wölbt sich der Regenbogen über einer Taube, beides zentrale Inhalte der Geschichte Noahs.

Die Orgel, gefertigt in der Werkstatt Mühleisen in Leonberg, mit 4000 Pfeifen und 46 Registern, wurde am 1. Advent 1999 eingeweiht und ausschließlich aus Spenden finanziert. Eine gewaltige Leistung, die ohne die Unterstützung der vielen Gäste, die St. Severin eng verbunden sind, nicht möglich gewesen wäre. Die Orgel erklingt nicht nur zu den Gottesdiensten, sondern St. Severin ist eine der großen Konzertadressen der Insel. Jeden Mittwochabend finden hier Musikveranstaltungen mit namhaften Künstlern statt. Wenn dabei im dunklen Winter die Kerzen an den Leuchtern brennen, ist das nicht nur ein akustisches, sondern auch ein optisches Erlebnis.

Es liegt auf der Hand, dass eine über 800 Jahre alte Kirche eine Vielzahl an Geschichten und Schicksalen verwahrt. Wer über St. Severin gern mehr wissen möchte, kann sich den kostenlosen Kirchenführungen anschließen, die immer donnerstags am Nachmittag stattfinden, oder das Hörbuch »St. Severin auf Sylt« mit Wilhelm Wieben als Sprecher erwerben, das auf Sylt in allen Buchhandlungen erhältlich ist.

Diese CD ist auch deshalb hörenswert, weil auf ihr die interessanten Gräber des Friedhofs erläutert werden. Wer weiß schon, dass hier die Verleger Peter Suhrkamp oder Rudolf Augstein ihre letzte Ruhe gefunden haben und aus welchen Gründen? Oder dass der Kapitän der *Wilhelm Gustloff* ein Keitumer war, der hier seine Grabstelle hat. St. Severin ist aber auch selbst ein wichtiger Teil der Inselgeschichte und Sagenwelt.

So glaubte man früher auf Sylt, dass der Turm von zwei

Nonnen, genannt Ing und Dung, gestiftet worden sei. Wer die Westmauer des Turms in Augenschein nimmt, wird dort einen gespaltenen Findling entdecken, dessen zwei gegengleiche Hälften die Nonnen Ing und Dung zeigen sollen.

Die beiden belegten ihre großzügige Spende aber bedauerlicherweise mit einem Fluch. Ing prophezeite, einst würde die Glocke den schönsten Jüngling des Dorfes erschlagen, und Dung konterte, dass bald darauf der Turm selbst über der eitelsten Jungfrau des Dorfes zusammenstürzen würde.

Fast hatte man diese Weissagung vergessen, als Weihnachten 1739 der Läutejunge Sören Sörensen die Glocke tatsächlich zu kräftig läutete und sie durch das morsche Gebälk brach und den Jungen erschlug. Daraufhin sollen die Jungfrauen der Insel verständlicherweise einen sehr großen Bogen um den Turm gemacht haben …

Was es mit dem Findling in Wirklichkeit auf sich hat, ist nicht ganz klar. Aber ich traf vor einigen Jahren einen Rutengänger an der Kirche, und er konnte mir zeigen, dass durch die Länge des Schiffs eine Erdstrahlung läuft, die exakt zwischen diesen Steinen wieder aus dem Gotteshaus austritt. Was mit Sicherheit kein Zufall ist, denn alte Kultstätten – und um so einen Ort handelt es sich bei St. Severin – finden sich immer an energetischen Plätzen.

Völlig unklar ist allerdings ein Kreuzzeichen, das rechts vom Turm an der westlichen Außenmauer als Eckstein des Kirchenschiffs einen behauenen Granit schmückt. Ist es das Symbol des damaligen Bauherrn? Oder nur eine Verzierung? Vielleicht weiß hier ein Leser Rat.

Munkmarsch – *Munkmērsk*

Einer der schönsten Wanderwege der Insel führt am Watt entlang von Keitum nach Munkmarsch – oder umgekehrt. Und vermutlich war diese Strecke einst die am stärksten frequentierte Verbindung, denn Keitum war Hauptort und Munkmarsch Haupthafen der Insel. Zu verdanken haben die Munkmarscher dies dem Tief Pander – eine Art tiefer Fluss im Wattenmeer –, das sich durch die Untiefen von Leghörn im Norden und Buttersand und Rauling als südlicher Begrenzung windet. Das Pandertief sorgt dafür, dass man auch bei Ebbe die Ostküste der Insel mit einem Boot erreichen kann, wenn der Rest des Wattenmeeres trocken fällt. Das hatte einen regen Schiffsverkehr auf dieser Strecke zur Folge, der erst zum Erliegen kam, als 1927 der Hindenburgdamm eingeweiht wurde und fortan alles über den Schienenstrang durchs Wattenmeer auf die Insel gelangte.

Von den Zeiten, als Munkmarsch noch wichtiger Fährhafen war, erzählt das alte Fährhaus, das nur deshalb erhalten blieb, weil eine Bürgerinitiative erbittert dafür kämpfte. Was für ein Glück! Wo hätte Roman Polanski sonst die Protagonisten seines Films »Ghostwriter«, wie Ewan McGregor, einkehren lassen sollen?

Munkmarsch hatte zudem eine reiche Mühle, die aber 1909 zum letzten Mal in den Wind gedreht wurde, langsam verfiel und 20 Jahre später verschwunden war. Doch von dem Vermögen des Müllers erzählt in der Keitumer Kirche noch heute der sogenannte Müllerstuhl aus dem 18. Jahrhundert im Chorraum. Auf den ersten Blick wirkt er wie ein überdimensionaler Beichtstuhl, aber tatsächlich war der Müller von Munkmarsch eine so bedeutende Person, dass er ein eigenes Gestühl für sich und seine Familie beanspruchen konnte.

Wer in den Anfangsjahren des Fremdenverkehrs auf die Insel reiste, landete in diesem kleinen Hafen, oftmals völlig erschöpft von der langen Anreise und der stürmischen Überfahrt. In der ersten Zeit dienten kleine Segler zur Beförderung der Gäste, die sich auf der Festlandsseite in Hoyer einschifften. Später waren es Raddampfer und Dampfschiffe, von denen eines von den Insulanern nur »das kleine Schwein« genannt wurde, weil niemand dem von ihm ausgestoßenen Ruß entgehen konnte.

Die ersten Gäste wurden noch mit Pferd und Wagen nach Westerland kutschiert, doch unter dem Badedirektor Dr. Pollacsek änderten sich die Verhältnisse. Was man sich heute gar nicht mehr vorstellen kann: Dem Badedirektor gehörten die Seebäder Westerland und Wenningstedt. Das heißt, die Badeanlagen und die wichtigsten Hotels waren sein persönliches Eigentum, und somit war er ein bedeutsamer Mann auf Sylt, der die Fremdenverkehrsentwicklung der damaligen Zeit maßgeblich beeinflusste. Pollacsek fand die unbequeme Fahrt über die Heide für sein vornehmes Publikum unzumutbar und investierte weitere 100 000 Mark aus seiner Privatschatulle, um eine Kleinbahn zwischen Munkmarsch und Westerland bauen zu lassen. Gottlob war alles 1888 fertig, denn just in diesem Jahr reiste die rumänische Königin mit Gefolge an, um im Hotel Roth einige Wochen zu entspannen.

Der rührige Badedirektor hat es übrigens mit den Syltern nicht lange ausgehalten. Frustriert verkaufte er der Gemeinde ein paar Jahre später seinen Sylter Besitz und verließ die Insel. Und die Sylter haben ihm sein Engagement auch nicht gedankt. Es ist schon erstaunlich, nach wem auf der Insel alles eine Straße benannt ist, den Namen Pollacsek wird man jedoch vergebens suchen.

Der Dornröschenschlaf, in den Munkmarsch fiel, nachdem der Hindenburgdamm eingeweiht war, dauerte viele Jahrzehnte. Mit dem 1997 neu eröffneten Fährhaus und dem daran angebauten Hotelneubau begann eine neue Ära des Dorfes, das 1970 keine 150 Einwohner gehabt hatte.

Wenn man heute durch die Ortschaft fährt, in der viele Ferienhäuser ihren Platz gefunden haben, und am kleinen Seglerhafen landet, kann man sich beim besten Willen nicht mehr vorstellen, dass Munkmarsch einst der Sylter Brückenkopf zur weiten Welt war.

»Em fair ol'er ütliirt«, sai di Drääng, üs er saag, dat di Buur dit Faamen ön Iars kniipet. (»Man lernt doch nie aus«, sagte der Junge, als er sah, wie der Bauer die Magd in den Hintern kniff.)

Morsum und Archsum – *Muasem en Ārichsem*

Wenn meine beiden Freundinnen Carin und Erika, die, wenn ich ihre Stammbäume richtig interpretiere, tatsächlich zur Spezies der »echten« Sylter gehören, aus ihrer Kinderzeit in Morsum erzählen, könnte man glauben, sie seien vor 150 Jahren geboren. »Wir haben schon in der Sandkiste täglich drei Sprachen gesprochen, das war völlig normal. In der Familie Friesisch, mit dem jungen Mädchen auf dem Hof Deutsch, auf der Dorfstraße Friesisch und Platt, und viele Sylter konnten ja auch noch Dänisch schnacken.«

Es gab für die Kinder im Dorf eine Schule mit zwei Räumen, viel zu klein für die zahlreichen lütten Morsumer und Archsumer, die vier Klassen füllten. So durfte der arme Lehrer morgens die unteren Jahrgänge unterrichten, nachmittags kamen die anderen dran, und um gerecht zu sein, wurde jede Woche gewechselt.

Im Winter waren der einstige Priel Katrevel und die Siele gefroren, und sie segelten bei Ostwind über das Eis bis Westerland. Natürlich nicht mit richtigen Schlittschuhen, sondern mit unter die Stiefel gebundenen Kufen, die sich regelmäßig selbstständig machten. Was dem Spaß aber keinen Abbruch tat. Ein Vergnügen, das die älteren Morsumer übrigens noch nicht kannten. Denn erst der Bau des Nössedeiches in den 1930er-Jahren schuf stehende Gewässer im Osten der Insel, weil man den weit ins Land reichenden Prielen sozusagen den Hahn abdrehte.

Vor dem Bau des großen Schutzdeiches brachte ein Sturm in kürzester Zeit alle diese Wasserarme zum Überlaufen, wenn das Meer ins Land drängte. Es dauerte nicht lange, dann standen sämtliche Wiesen unter Wasser. Die Senke zwischen Morsum und Archsum wurde ein reißender Strom, die beiden Orte lagen abgetrennt vom Rest der Insel, waren vom Meer umspült und standen den Halligen in nichts nach.

Den 30. August 1923 wird Erikas Mutter sicher nie vergessen haben. Eine überraschende Sommersturmflut. Das Wasser kam von zwei Seiten und viel zu schnell, der Großvater konnte die kleine Enkeltochter noch auf einen aus dem Wasser ragenden Pfahl setzen, wo sie später gerettet wurde. Aber beide Großeltern wurden vom Wasser mitgerissen und ertranken. Die beiden Brüder, die zum Bergen des Viehs aus der Schule geholt worden waren, galten auch als verloren, aber man fand sie zum Glück am nächsten Morgen – sie hatten sich an einer höheren Stelle völlig verängstigt an ein ertrunkenes Pferd geklammert.

In Carins und Erikas Kinderzeit gab es noch Großmütter, die ihren Enkeln Teufelspech in den Saum nähten, um Unheil von ihnen fernzuhalten. Wenn gebaut wurde, hat man erst einmal die Wünschelrute befragt.

Wurden die Geschwister zu Bett gebracht, vertrieben sie sich die Zeit bis zum Einschlafen in Ermangelung von

Nintendo oder einem iPhone mit Spielen, die auch im Dunkeln funktionieren. Außerordentlich beliebt waren Ratespiele, erzählen die beiden. Die friesische Variante des Kofferpackens beispielsweise. Hier ging es darum, die Mitmenschen zu erkennen: »Ich packe in meinen Koffer ein Mädchen, sie hat zu große Schuhe, einen blau gemusterten Faltenrock, zwei dicke braune Zöpfe …« Genauso beliebt war das Häuserraten-Spiel. »In meinem Haus lebt eine alte Frau, eine Mutter, ein Vater, zwei Mädchen, zwei Jungen …« Spätestens jetzt wusste wohl jeder, das ist Familie Hoffmann von Skellinghörn. Sämtliche Morsumer Häuser kannten sie, und jeder Morsumer war in der Lage, exakt die Lebensverhältnisse der Nachbarn zu beschreiben, wer wo unter welchen Verhältnissen wohnte, wie viele Tiere am Haus waren und wie viele Ferkel die Sau geworfen hatte. Die Türen waren selbstverständlich nicht verschlossen, durchs Dorf zu laufen hieß auch, hinten durch den Stall bei den Nachbarn rein, vorne wieder raus.

Unlängst wurde Carin gebeten, ob sie nicht auf dem Weg nach Morsum ein Paket mitnehmen könnte, sie kenne sich ja aus. Sie kehrte unverrichteter Dinge zurück und hatte das Haus nicht gefunden. Das Morsum von heute hat nicht mehr viel mit dem Dorf ihrer Kindheit gemein.

»Herrscht in Keitum schon große Not, gibt's in Morsum immer noch Speck und Brot«, hieß es in früheren Zeiten, denn die Morsumer hatten die besseren Böden. Bis in die ersten Jahre des 19. Jahrhunderts war Morsum sogar die größte Gemeinde der Insel. Landwirtschaft bestimmte das Leben, auch wenn später viele Männer Seefahrer wurden.

Die alten Höfe sind auf mehrere Ortsteile verteilt, die so kuriose Namen haben wie Abort, Skellinghörn, Wall, Lütjemuasem und Guartmuasem, Uasterjen, Holm und am östlichsten Ende Nösse. Sie liegen in einer fast kreisförmigen Anordnung am äußersten Rande des Geestkerns, der sich höher erhebt und somit sicherer war als das flache, aber fruchtbare Wiesenland.

Zentral inmitten dieser großen Streusiedlung steht die kleine Kirche St. Martin, von der gern behauptet wird, sie sei die älteste Kirche der Insel. Doch nachdem kürzlich an der Keitumer Kirche eine umfassende Sanierung erfolgte, weiß man, dass St. Severin den ältesten Dachstuhl Norddeutschlands besitzt. Aber St. Martin wird nur unwesentlich jünger sein.

In dieser Kirche kann man keine Schätze finden, aber sie selbst ist ein Schatz, wenn es um die Geschichten geht, die dieses Gotteshaus hütet. So hängen an den Wänden die alten schwarzen Predigertafeln, die jeden Pastor verzeichnen, der hier seit der Reformation wirken durfte. Darunter gibt es unglaubliche Schicksale, wie das des Pastors Lobedanz, der notgedrungen nach Morsum versetzt wurde, weil sein blühendes Kirchspiel Nordstrand in der Sturmflut von 1634 in einer Nacht vernichtet wurde. Er hatte nur überlebt, weil er zu Besuch in einer Nachbargemeinde gewesen war. Am Morgen danach war alles Land, das er kannte, zu Meer geworden. Oder Pastor Krohn, der die undankbare Aufgabe hatte, einen kleinen schwarzen Sklavenjungen, den sich ein Kapitän aus Südamerika mitgebracht hatte, um ihm das schwere Schicksal eines Plantagenarbeiters zu ersparen, zu einem echten Christenmenschen zu erziehen. Was im Übrigen gründlich schiefging…

Die sogenannte Pesttafel, angebracht am oberen Chorbogen, verrät, dass die Morsumer im ersten Drittel des 17. Jahrhunderts nicht nur die Pest ertragen mussten, sondern auch Wallensteins versprengte Truppen, die das Dorf plünderten.

Em tört di Düüwel ek röp, hi kumt fan salev. (Den Teufel braucht man nicht zu rufen, er kommt von allein.)

Knapp 100 Jahre später, im Jahre 1744, ereignete sich ein weiteres Unglück, das in der Geschichte der Insel einmalig ist. Eine bescheidene Gedenktafel im Chorraum erzählt vom Morsumer Teide Bohn, der mit seinem kleinen Schiff Arbeit suchende Seefahrer nach Holland segeln wollte. Das Schiff ging in schwerer See vor Westerland unter, dabei ertranken über 80 Menschen, darunter 51 Männer aus Morsum. In jedem Haus herrschte heulendes Elend, die Frauen liefen wochenlang in Trauerkleidung am Strand entlang, in der Hoffnung, das Meer würde ihre »zu Grunde gegangenen« Söhne, Brüder, Väter und Ehemänner wieder ausspucken. Das aber geschah nur selten. Ein Jahr nach dem Unglück sind für das Dorf 449 Frauen verzeichnet und nur 271 Männer, ein gewaltiger Frauenüberschuss, weil immer wieder so viele Männer den nassen Tod fanden.

Wer auf den Friedhof geht, entdeckt kaum noch alte Grabsteine. Trauer ist das eine, Pragmatismus das andere. Die großen flachen Steine sind auf einer Insel, die keine Steinbrüche hat, ein wertvolles Baumaterial. Alte Grabsteine findet man in Morsum an den alten Häusern als Gehwegplatten, früher in der Küche als Fußboden oder auch im Stall als Bodenbelag. Wenn sie noch stünden, die alten Steine, und wenn man wie Carin oder Erika noch wüsste, wer wo im Dorf in welchem Ortsteil gelebt hat, dann könnte man erkennen, dass es Morsum früher zweimal gab. Da waren einmal die Häuser im großen Bogen rund um die Kirche und in genau gleicher Abfolge die alten Gräber rund ums Gotteshaus. Damit die Verstorbenen »nach Hause« sehen konnten.

Auch das eine lebhafte Kindheitserinnerung – vom Klassenfenster der Schule, die in direkter Nachbarschaft zur Kirche stand, weil in früheren Jahrhunderten die Pastoren die Kinder unterrichteten, hatte man den Friedhof genau im Blick. Wurde jemand zu Grabe getragen, war es um die Aufmerksamkeit der Schüler geschehen.

Der große Umbruch, der das Dorf äußerlich und innerlich teilte, kam mit dem Bau des Hindenburgdammes, der 1923 begonnen wurde. Rücksichtslos wurde eine Schneise durch die nördlichen Ortsteile geschlagen, und fortan bestimmte hier der Schrankenwärter, wann man wohin gehen durfte.

Schlimmer war der Riss, der aufgrund dieses Jahrhundertbauwerks durch die Gemeinde selbst ging. Die einen waren dafür, wie der Pastor, dessen Leben dadurch eine sicher nicht geplante Ausgrenzung erfuhr. Die anderen dagegen, sie hielten den Damm für ein Teufelswerk, das der *Blanke Hans* in naher Zukunft hoffentlich kurz und klein hacken würde. Gebaut wurde der Damm von Arbeitern, die aus verschiedensten Teilen des Landes stammten und in der Notzeit nach dem Krieg froh waren, Arbeit zu haben, und sei es Klei schleppen am A… der Welt. Und die, dem abgedankten Kaiser sei Dank, politisch aktiv waren. Dass ihre Politikauffassung radikaler war als die der Morsumer Bauern, ist klar wie Sylter rote Grütze, und auch, dass es zur Sache ging, wenn die Lohntüte abgeholt worden war und die Jungs von ihren Lagern in die Dorfkneipe marschierten, um ein wenig Spaß zu haben.

Manch einer blieb und fand hier seine Liebe. Ob es immer auch Glück war, als Zugereister in einer Gesellschaft zu leben, die den Insulaner über alles stellte, untereinander ausschließlich Friesisch sprach und kaum bereit war, Zugeständnisse zu machen, sei dahingestellt.

Als der Fremdenverkehr in Morsum einzog, war der letzte touristisch weiße Fleck der Insel verschwunden, aber das war erst Anfang der 1960er-Jahre. Die Landwirte fanden kaum noch Helfer und Knechte, denn das Geld im goldenen Westen der Insel lockte. Viele Hofstellen wurden geschlossen, und man versuchte auch hier, sich mit Vermietung über die Runden zu bringen.

Mittlerweile floriert das Geschäft, und es ist so viel gebaut worden, dass Carin ohne Navi keine privaten Postdienste mehr übernehmen wird.

Um 1900 gab es in Morsum 141 Häuser, im Jahre 2000 waren es 691, mittlerweile wird wohl das 800ste gebaut worden sein. Die schönsten Lagen sind die höheren Grundstücke mit direktem Blick aufs Wattenmeer bis hin zu Keitumer Kirche, Kampener Leuchtturm und Lister Wanderdünen. Hier, wo kaum noch ein Stück freies Bauland zu finden ist, haben Carin und Erika einst im Winter gerodelt und zu Ostern den Sylterfriesischen Brauch des Eierwerfens geübt.

Was für ein Glück, dass seit 1923 das Naturschutzgebiet »Morsum-Kliff« besteht. Es ist eines der wichtigsten geologischen Denkmäler in Deutschland und mit der über 40 Hektar großen Heidelandschaft eines der ersten Naturschutzgebiete in Schleswig-Holstein. Wäre diese Unter-Schutz-Stellung damals nicht geglückt, dann hätte man das Material des Kliffs tatsächlich zum Bau des Hindenburgdammes verwendet.

Nicht weit von dieser ursprünglichen Landschaft liegt der von Axel Springer gegründete Golfplatz. Von hier gibt es einen herrlichen Weg westwärts am Deich entlang, der einen nach Archsum führt.

Das ist das kleinste und vermutlich unbekannteste Dorf der Insel, aber dafür mit der wohl aktivsten örtlichen Feuerwehr, die vor allem für den Zusammenhalt im Dorf eine wichtige Rolle spielt.

Der einzige Prominente, den es je in diese Gemeinde zog, war der Verleger Rudolf Augstein, der allerdings 2002 seinen Wohnsitz auf den Keitumer Friedhof verlegte. Hier in Archsum wohnte er in einem Haus, das einst Peter Christian Matzen gehört hatte, Erikas Urgroßvater. Der hatte als Kapitän auf großer Fahrt eines Tages »die Seefahrt bedankt«, nachdem er über 40 Jahre lang auf allen Meeren gefahren und immer glücklich heimgekehrt war. Von seinem Haus aus hatte er freien Blick in alle Himmelsrichtungen, sah am 30. August 1923, mitten im Sommer, das Wasser kommen und ertrank als weitgereister Kapitän vor seiner eigenen Haustür.

Rantum – *Raantem*

So aufschlussreich wie die sinnigen Sprichwörter dieser Insel sind auch ihre Sagen, in denen es von Puken, Zwergen, Riesen, Hexen und Unterirdischen nur so wimmelt – Geschichten, die den Menschen die Fallstricke des Lebens erklären sollten. Und da nichts das Leben der Menschen so sehr bestimmte wie die Nordsee vor der Tür, ranken sich zahllose Geschichten um das Meer. Was den Nordländern ihr Ägir, ist den Friesen ihr Meergott Ekke Nekkepenn. Er ist es, der bei uns statt Ägir als Gatte der Meeresgöttin Ran durchs Wasser pflügt. Und ist Ran in anderen Ländern eine schöne Nixe, die die Seefahrer betört und auf den Meeresgrund lockt – auf Sylt ist sie eine hässliche Alte. Mit ihren Netzen soll sie die Insulaner und Seefahrer in die Tiefe ziehen. Für die Sylter war klar, dass sie sich gemeinsam mit ihrem Mann gegen Sylt verschworen hatte.

Sie war verantwortlich für allerlei Leid und Schaden. Und einige Insulaner haben sich, praktisch, wie Friesen sein können, wohl gedacht, wenn wir ihr unseren Ort weihen und ihn Rantum (Heim der Meeresgöttin Ran) nennen, wie es ein bedeutender Inselchronist vermutet, wird sie doch wohl nicht so herzlos sein und ihn zerstören.

Man kann nicht behaupten, dass diese Rechnung aufging. Es gibt auf Sylt keine dramatischere Geschichte als die der Ortschaft Rantum.

Mehrere Male ging das Dorf »über den Strand«, und die Kirche musste immer wieder neu aufgebaut werden. Wobei das Meer nicht das alleinige Problem war, denn genauso gefährlich waren die Wanderdünen, auch als »Weißer Tod« bezeichnet. Schon im Mittelalter wälzten sich ungeheure Sandmassen im Süden der Insel von West nach Ost, unaufhörlich getrieben vom ewig wehenden Westwind. Viele Reisende, die dieses Phänomen auf Sylt erstmals erlebten, schrieben später, es sähe bei Sturm aus, als kochten die Dünen, weil der aufgewirbelte weiße Sand aus der Ferne wie gewaltige Wasserdampfsäulen wirkte. Die Sandmassen waren durch nichts aufzuhalten, sie wälzten sich über das Dorf. Aus der Kirchenchronik ist zu erfahren, dass das Gotteshaus im Jahre 1757 längst halb im Sand steckte. Wer hineinwollte, musste über die Sandberge zu einem kleinen, höher gelegenen Fenster klettern, von dem aus man dann auf Sand in die Kirche hineinrutschen konnte, denn der war längst im Innern des Gotteshauses angekommen. Überall hatte man Taue und Stricke gespannt, um zu verhindern, dass die Wände zusammenfielen, was mit Sicherheit geschehen wäre, wenn man die Kirche nicht vorher abgerissen hätte, um mit dem Baumaterial weiter östlich ein neues kleines Gotteshaus zu errichten. Zwar konnte man die Kirche versetzen, aber der sie umgebende Friedhof blieb, wo er war, und wurde von den Dünen vollständig verschluckt. Doch 50 Jahre später, die Düne war längst weiter auf das neue Gotteshaus zugewandert, wurde der Friedhof wieder freigeweht. Und dann riss ein gewaltiger Sturm im Westen so viel Land mit, dass der Gottesacker der Rantumer vom Sand befreit und die Gräber freigespült wurden.

Auch das hat ein Chronist notiert: »Die Rantumer Kinder konnten am Strand mit den Gebeinen ihrer Vorväter spielen und Totenköpfe aus dem Sand herauspflücken, bis das Meer endgültig seinen Raub zerschlug und zerstreute.« Böse Ran! Offensichtlich hatten die Einwohner es ihr doch nicht recht machen können.

Auch das neue Gotteshaus, eigentlich eher eine Hütte, musste 1801 abgebrochen werden, weil man den Wanderdünen nicht Einhalt gebieten konnte. Da die Rantumer selbst für den Abbruch nicht mehr die Mittel hatten, wurde das Baumaterial auf Sylt versteigert. Wer über 50 Taler bot, sollte die Kirche bekommen »mit allem, was darinnen ist«. Und so geschah es. Den Zuschlag bekam der Schiffer Ebe Pohn aus Westerland, der mit den Steinen sein Haus erweiterte und sogar die Inneneinrichtung der Kirche mit verbaute. Nicht nur in seinem Haus, sondern auch auf seinem kleinen Kahn, den er anschließend »Segen von Oben« taufte. Ebe hatte eben Humor.

Wer heute in Rantum in die 1963 neu erbaute Kirche tritt (von 1801 bis zu diesem Zeitpunkt hatten die Rantumer die Westerländer Kirche besuchen müssen), wird von dieser Dramatik kaum noch etwas erkennen. Wer davon weiß, findet zwei alte Gemälde, die, man glaubt es kaum, aus dem Nachlass von Ebe Pohn stammen. Der hatte nämlich vor 200 Jahren testamentarisch verfügt: »Sollte je wieder in Rantum eine Kirche stehen, sollen die Dinge zurück.« Dass das jemals geschehen würde, hatte auf Sylt bis dahin kein Mensch geglaubt.

Ekke Nekkepenn und Ran hatten es wohl wirklich auf dieses Stück Erde abgesehen: Rantum besaß um 1900 nur noch fünf Häuser und wurde das »sterbende Dorf« genannt.

Mittlerweile ist Rantum kein kleines Dorf mehr, sondern hat sich gewaltig verändert. Was auch – wie überall auf Sylt – dem Dritten Reich geschuldet ist, denn auch hier wurden Kasernen für einen Seefliegerhorst gebaut, mit allen sich daraus ergebenden Konsequenzen. Erst Soldaten, dann Heimatvertriebene, dann Touristen. Viel, viel schlimmer ist allerdings, dass auch ohne Faschismus in Rantum eine Verhunzung allererster Sahne gelang. In jüngerer Zeit ermöglichten die demokratischen Verhältnisse eines überforderten Dorfparlaments einen Hotelbau, der – architektonisch gesehen – zu den schlimmsten Bausünden seit den 1970er-Jahren gehört.

Dabei waren ein paar Jahre zuvor mit dem Bau der »Sylt-Quelle« ganz neue Maßstäbe gesetzt worden. Neben der Produktionshalle, die jetzt von den Betreibern nicht nur genutzt wird, um Sylter Tiefenwasser zu vermarkten, sondern auch für spannende Theater- und Kabarettproduktionen, wurde ein frei stehender runder Glasbau errichtet. Im sogenannten Quellenhaus finden sich neben einem Restaurant die Ausstellungsräume der Stiftung »kunst:raum Sylt-Quelle«. Hier bietet sich nicht nur die Möglichkeit, junge Kunst zu erleben, sondern man kann auch das Europareservat des Rantum-Beckens aus einem ganz anderen Blickwinkel betrachten, wenn man aus dem oberen Stockwerk nordwärts schaut. Und von hier oben kann man ganz nebenbei auch die auf dem Gelände verteilten Skulpturen namhafter Künstler bewundern.

Doch zurück zu dem 600-Betten-Hotel von Rantum, das jetzt die von Norden kommenden Gäste gleich am Ortseingang mit seinen an sozialen Wohnungsbau erinnernden Großblocks erschreckt. Offensichtlich in Erkennung dieser Fehlentscheidungen hat die Gemeinde einen weisen Entschluss gefasst und sich der Fusion zu einer Großgemeinde Sylt angeschlossen. Bleibt zu hoffen, dass das neue Inselparlament in Hinblick auf Rantum jetzt klügere Entscheidungen trifft. Denn: *Dailkhair forgair, Skaankhair bleft!* (Schönheit vergeht, Hässlichkeit bleibt!)

Unglückseligerweise hatte man sich auch nicht ernsthaft darum bemüht, das wenige Alte, das es in Rantum noch gab, zu erhalten. In der sogenannten Rantum-Inge, dem ältesten bewohnten Teil der Ortschaft, ist eine nicht zu stoppende Bauwut ausgebrochen. Das letzte alte Haus Rantum-Inge wird wohl auch bald abgerissen sein, denn wie mir die Denkmalschutzbehörde mitteilte, gibt es ihrerseits keine Handhabe, es zu sichern.

Um mit erfreulicheren Geschichten zu kommen: In Rantum wurde 1789 die wohl bekannteste historische Frauensperson der Insel geboren – Merret Lassen. Auf Sylt kennt diesen Namen jeder, denn Merret ist der Prototyp einer aufrechten Friesin. Ihre Vorfahren befuhren die See und sie selbst heiratete einen Norweger, der ihr sozusagen vor die Füße gespült wurde, weil sein Schiff vor Rantum strandete. Am beeindruckendsten aber ist, dass sie ihm 21(!) Kinder schenkte, von denen immerhin 17 das Erwachsenenalter erreichten.

Von Merret Lassen gibt es großartige Geschichten, die man in einem Buch nachlesen kann, das eine Urenkelin schrieb. Eine davon muss ich Ihnen erzählen.

Im Jahre 1825 fegte ein fürchterlicher Sturm über die Insel. Das Haus von Merret und Peter (leider 2009 abgerissen) stand bald unter Wasser, und es galt, in der Nacht die zahlreichen Kinder und das eigene Leben zu retten. Das gelang unter schwierigsten Umständen. Als ein paar Tage später der dänische König auf der Insel weilte, um die Schäden zu besehen, wurde ihm die dramatische Rettungsgeschichte gesteckt. *Dunnerlütjen!* Diese Frau wollte er kennenlernen. So wurde ein Kurier nach Rantum geschickt. Er teilte Merret mit, der König wolle sie sehen (und bedenken Sie, »der König« war 1825 noch so eine Art Stellvertreter Gottes auf Erden und darf auf keinen Fall etwa mit einem Prinzen Charles von heute verglichen werden), was Merret nicht im Mindesten beeindruckte. Sie ließ ausrichten: Wenn er sie sehen wolle, müsse er schon zu ihr kommen. Hier erleben Sie dieses von mir so bewunderte Selbstbewusstsein der Friesen.

Und: er kam! Für das, was dann geschah, würde ich mich gerne in die Vergangenheit beamen, um Zeugin zu sein. Merret trat aus ihrer ramponierten Hütte (im Übrigen mal wieder hochschwanger), fiel nicht auf die Knie, was angesichts des Königs vermutlich angebracht gewesen wäre, sondern machte nur einen angedeuteten Knicks, sah dem König fest in die Augen, was meines Wissens ebenfalls nicht die übliche Umgangsform bei Königen war, und sagte: »Dit sen ik fan fuar'n.« (Das bin ich von vorne.) Dann drehte sie sich auf den Hacken um und vollendete: »En dit sen ik fan achtern.« (Das bin ich von hinten.) – um wieder im Haus zu verschwinden.

Obwohl der König kein Wort Friesisch sprach, hatte er verstanden und verließ beeindruckt den Ort.

Hörnum – *Hörnem*

Wer zuletzt zur Jahrtausendwende in Hörnum war, der darf sich auf eine Überraschung gefasst machen. Bei der Einfahrt in den Ort wird er neuerdings nicht mehr von den trostlosen Hinterlassenschaften des Militärs begrüßt, sondern freie Sicht über einen neu angelegten Golfplatz ermöglicht ganz neue Ausblicke. Die Kasernen sind verschwunden, das Material wurde zum Teil recycelt und als Grundstock für die Dünen im Golfgelände verarbeitet. Was für eine Wiedergeburt! Aus Schuld und Sühne wurde sozusagen Schutt unter der Düne.

Dafür hat jedoch die katholische Kirche ihr Gotteshaus an der Straße dichtgemacht. Auf der gegenüberliegenden Seite sind als Ausgleich bullerbübunte Holzhäuser errichtet worden, die Dauerwohnraum und Wohneigentum für Sylter auch in Hörnum fördern sollen.

Und wer sich auf ein Wiedersehen mit der »Hörnumer Käseschachtel« freute – einst avantgardistische 1970er-Jahre-

Architektur für die damalige Kurverwaltung –, der wird verdattert vor einer mit Stäbchenholz verkleideten modernen Apartmentanlage des Hapimag-Konzerns aus dem Eidgenossenland stehen.

Immerhin schickt der Leuchtturm wie vor 100 Jahren seine Strahlen durch die Nacht, und auch der Hafen ist noch an seinem Platz. Doch auch hier hat sich einiges getan. Das neue Sylter Luxushotel Budersand, ein Fünf-Sterne-Superior(!)-Haus, steht am nördlichen Rand des Hafengeländes. Wer eintritt, wird mit Sicherheit begeistert sein, aber vermutlich auch das Gefühl haben, wie bei Raumschiff Enterprise einen Transformator betreten zu haben. Das hat mit dem Hörnum, wie man es kannte, wirklich nichts mehr zu tun. Und wer am Hafen steht und seinen Blick nach Norden schweifen lässt, darf feststellen, dass auch die ehemalige Funkstation des Seefliegerhorstes einer Schönheitsoperation unterzogen wurde und nun ein Restaurant beherbergt, von dessen Terrasse man einen grandiosen Blick auf die Nachbarinseln Föhr und Amrum hat. Wer sich übrigens nicht ganz sicher ist, was welche Insel da hinten am Horizont ist, für den gibt es eine wunderbare Eselsbrücke mit dem Namen RALF (rechts Amrum, links Föhr).

Doch das ist längst nicht alles. Es gibt neuerdings eine hübsche kleine Promenade zum Flanieren, Straßen werden erneuert, Läden eröffnet, und überall wird gewerkelt. Es ist auffällig, wie sehr sich die Befindlichkeit in Hörnum verändert hat, seit eine syltbegeisterte Investorin sich entschied, hier ihr Geld zu lassen. Eine regelrechte Aufbruchsstimmung zieht durch die Straßen, die Preise für Wohnungen sind binnen 20 Monaten um rund 30% angestiegen.

Wan dit Lek di Iars iin wel, helpt er niin engels-ledern Boks. (Wenn das Glück zum Hintern hineinwill, dann hilft auch keine englisch-lederne Hose dagegen.)

Urlauber, die sich bisher weigerten, südlicher als zum Strandabschnitt »Sansibar« vorzudringen, finden sich plötzlich in »Hörnum-City« wieder. Und der Tourismusservice bietet nicht mehr ausschließlich Watt- und Nachtwanderungen an, sondern z. B. Beach-Polo-Turniere.

Ich bin mir nicht sicher, ob der normale Hörnumer dafür Verständnis aufbringt, aber eigentlich vollzieht sich jetzt am südlichsten Ende der Insel das, was die anderen Gemeinden bereits in den 1960er-, 1970er- und 1980er-Jahren erlebt haben.

Hörnum ist nur etwas später dran, und man darf gespannt beobachten, ob der Ort bereit ist, aus den Fehlern der anderen zu lernen.

Hörnum ist auf dem Weg vom hässlichen kleinen Entlein zum stolzen Schwan, und das ruft natürlich alle auf den Plan, die davon profitieren wollen. Nicht nur einer träumt davon, das Hafengelände à la List zu »sanieren«. Und hieß es bisher, »das Beste an Hörnum ist der Hafen, weil man gleich weitersegeln kann«, kommt man jetzt in den Süden der Insel, um sich in Ruhe umzusehen. Hörnum ist zurzeit unbestritten die Boomtown von Sylt.

Das hätte man sich vor 100 Jahren noch nicht träumen lassen. Im Gegensatz zu allen anderen Sylter Ortschaften war Hörnum kein Dorf, sondern der Name Hörnum stand für das gesamte südliche Inselende. Und wer sich schon gefragt hat, wie das Hotel »Budersand« zu seinem eigenwilligen Namen kommt, dem sei hier erklärt, dass das einer der ältesten Hörnumer Flurnamen ist. Es gab nämlich eine geschützte Bucht, in der schon im 16. Jahrhundert die Fischer ihre Buden in den Sand stellten, um hier während der kurzen Periode des Sommers dem Fang nachzugehen. Wenn die Fischer von Budersand wieder abzogen, war Hörnum von Neuem ausgestorben.

In Hörnum konnte man nicht leben, denn die karge Dünenlandschaft ließ keine Landwirtschaft zu. Es diente Seeräubern als Unterschlupf. Außerdem war man sich auf Sylt einig, dass es »auf« Hörnum spukte, hier war der Treffpunkt der Hexen. Und da die Sylter früher ausgesprochen abergläubisch waren, reichte schon der Gedanke an diesen Ort, um Herzklabastern zu bekommen.

Alles Land gehörte übrigens den Rantumern – die Gemeinde Hörnum wurde erst nach dem Zweiten Weltkrieg aus der Taufe gehoben –, die hier ihre Schafe in freier Weide laufen ließen und den anderen Syltern gegen einen kleinen Obolus pro Schaf das Land zum selben Zweck zur Verfügung stellten. Das war in doppelter Hinsicht lukrativ, denn nicht nur die kleine Schafpacht floss in die Taschen der Rantumer, sondern auch die Hinterlassenschaft der Tiere. Die Sjipluurter (Schafskötel) waren in einer baumlosen Landschaft ein begehrtes Heizmaterial. Und der Verkauf des getrockneten Dungs hat manch einen Rantumer vorm Hungern bewahrt.

Dass man von dem büsch'n Fischfang und Sjipluurter (gesprochen übrigens Schipplurchter) nicht wirklich gut leben konnte, liegt auf der Hand. Aber wenn die Rantumer Glück hatten, bescherte ihnen das Meer von Zeit zu Zeit einen reichen Strandsegen. Für ungezählte Schiffe wurde ihre Küste im Laufe der Jahrhunderte bei Sturm zur tödlichen Falle, und so makaber sich das anhören mag, ohne das Unglück anderer hätten die Rantumer nicht überleben können.

Es wird ja oft behauptet, die Sylter hätten böswillig Feuer gemacht, um Schiffe an den Strand zu locken. Ich weiß, dass das an vielen Küsten früher üblich war. Und ich bin mir sicher, dass es kein Sylter bedauerte, wenn ein Schiff mit Mannschaft vor seinem Haus verloren ging. Aber ich bezweifle, dass man ständig große Feuer am Strand brennen ließ. Nicht dass ich den Syltern das nicht zutrauen würde, aber es gab auf Sylt viel zu wenig Brennmaterial (versuchen Sie mal, mit Schafscheiße ein Leuchtturmlicht zu imitieren). Und man muss berücksichtigen, dass die Insel nicht in der Nähe eines bedeutenden Hafens liegt, der regelmäßigen Schiffsverkehr produziert. Und auf gut Glück fortwährend Feuer zu machen, in der Hoffnung, dass da draußen gerade mal wieder ein Schiff unterwegs ist? Manch ein Sylter mag mit Einfalt gesegnet sein, aber so dumm war keiner.

Dennoch, wenn ein Schiff an den Sandbänken kenterte, war die Freude groß. Es gab allerdings bei diesem Geschäft zwei ärgerliche Haken. Zum einen war der Hörnumer Strand von der Nachbarinsel Amrum aus viel besser einzusehen. Wenn also ein Schiff strandete, waren die Amrumer oftmals schneller und brachten die Rantumer um ihre Beute. Deshalb singt man auch heute noch in Hörnum: »Gott schütze uns vor Meer und Wind und Männern, die von Amrum sind.« Der zweite Haken war das Gesetz. Denn natürlich war es niemandem erlaubt, sich angespültes Gut ungefragt anzueignen. Deshalb gab es auf der Insel mehrere Strandvögte, die sich die Strandabschnitte untereinander aufteilten. Und regelmäßig Patrouille laufen mussten, um zu kontrollieren, ob Schiffe, Strandleichen oder Ähnliches angespült waren. Keine leichte Aufgabe, wenn man 20 Kilometer Strand kontrollieren soll, aber gleichzeitig sämtliche Einwohner der Westküste beutegierig unterwegs sind. Die Rantumer hatten diesbezüglich auf Sylt den schlechtesten Ruf und, wenn sie erwischt wurden, alle möglichen Ausreden parat.

Einmal konnte eine Rantumerin ihr Glück nicht fassen, als sie im Spülsaum auf ein prall gefülltes Butterfass stieß. Kaum hatte sie begonnen, das schwere Teil zu sichern, bemerkte sie den Strandvogt. Ohne mit der Wimper zu zucken, begann sie, trotz frischer Temperaturen, sich splitterfasernackt auszuziehen und mit ihren Kleidern das Fass zu verdecken.

In heutiger Zeit wäre das für den Strandvogt kein Hindernis gewesen, aber vor 200 Jahren näherte man sich einer nackten Frau nicht so einfach. So blieb ihm, der ja durchaus ahnte, was dort vor sich ging, nur übrig, zu rufen, was sie denn dort täte? Und er bekam zur Antwort, dass man sich ja auch mal waschen müsste. Da der Strandvogt weiteres Strandgut bergen musste und nicht die Zeit zum Abwarten hatte, wird das Butterfass wohl im Dorf gelandet sein.

So also müssen Sie sich das Hörnum von ganz früher vorstellen: Im Sommer ein paar Fischer, ab und zu kommt der Strandvogt vorbei, und von Zeit zu Zeit strandet ein Schiff. Das war's.

Doch dann betrat Albert Ballin aus Hamburg die Bildfläche, Ende des 19. Jahrhunderts der Onassis der Weltmeere, Gründer der HAPAG und erfolgreichster Reeder seiner Zeit. Er entschied, den Seebäderverkehr nach Sylt anzukurbeln. Denn die Fahrt für die Reisenden übers Festland war mehr als mühevoll. Da der einzige Hafen der Insel, Munkmarsch am Wattenmeer, als Großanleger nicht taugte, entwickelte Ballin ein eindrucksvolles Projekt.

Hörnum sollte das Sylter Tor zur Welt werden. Dafür kaufte er den Rantumern, die ihr Glück gar nicht fassen konnten, im Jahr 1900 ein paar Hektar Land an der Südspitze ab, baute eine lange Anlegebrücke für seine Schiffe und erkannte, dass das nicht reichte. Die Gäste mussten ja weiter, nach Westerland. Also baute er gleich auch noch einen Bahnhof, erwarb von den abermals beglückten Rantumern das Recht, durch ihre Düneneinsamkeit einen Schienenstrang bis Westerland zu legen, errichtete einen

Wasserturm für die Lok und später ein Gasthaus, das sogenannte Hapaghaus.

Das war übrigens das älteste Gebäude der Ortschaft, von der Gemeinde – Sie ahnen es – zum Abriss freigegeben. Investoren errichten hier nun ein neues Hotel, immerhin wird man versuchen, die alte Fassade zu rekonstruieren.

Diese Bauaktivität war der Beginn des heutigen Hörnums. Es war eine Entwicklung, die den preußischen Staat in Zugzwang brachte, denn er musste das Fahrwasser sichern, und so erhielt Hörnum 1907 seinen wunderschönen Leuchtturm.

Zu den ersten Bewohnern der Südspitze gehörten folgerichtig der Leuchtturmwärter mit Frau und vier Kindern (deren Klassenzimmer im Übrigen im Leuchtturm lag) und ein paar Angestellte der HAPAG.

Die Jahre bis zum Ersten Weltkrieg waren Jahre der Hochkonjunktur. 1901, im ersten Jahr des Bestehens der Seebäderroute, landeten allein auf diesem Weg knapp 15 000 Gäste in Hörnum, ein Gästezuwachs für die Insel von 16%!

Dann kam der Erste Weltkrieg, anschließend die Not, dann eine leichte Besserung. Aber 1930 hatte der Ort noch immer nicht mehr als sieben Wohnhäuser.

So hätte es weitergehen können, wenn nicht auch hier das Militär durch den Bau eines gigantischen Seefliegerhorstes gewaltige Umwälzungen in Gang gesetzt hätte. Ein paar Jahre später hatte der Ort 822 Einwohner, und in den Kasernen waren schätzungsweise 1500 Militärangehörige stationiert.

Dass wir trotzdem den Krieg verloren haben, weiß jeder, aber vermutlich nicht, dass die Hörnumer sich in ihre Annalen schreiben können, dass über ihren Köpfen am 20. März 1940 der erste Bombenabwurf der Alliierten niederging.

Trotz 1500 abgeworfener Sprengsätze gab es zum Glück nur einen Toten zu beklagen, und nur wenige werden sich eingestanden haben, dass es der Anfang von Ende war.

Über 2000 Heimatvertriebene fanden sich nach dem Krieg in Hörnum wieder, ein elend schweres Leben im kargen Inselsüden, in dem es weder Arbeit noch etwas zu essen gab. Zum Glück lag das Meer vor der Tür, aber irgendwann wollte man auch mal etwas anderes als Fisch essen oder sich mit den Insulanern um Möweneier streiten. Ein damals hier gestrandetes Kind, dessen Familie aus Ostpreußen fliehen musste, sagte mir einmal: »Ich wundere mich noch heute, dass ich Knochen habe und keine Gräten – so viel Fisch, wie wir essen mussten.«

Der Fremdenverkehr, der sich langsam auf Sylt wieder entwickelte, ging an Hörnum nicht vorbei, aber es gab kein großes Angebot im Ort. Kinderheime hatten in den großen Gebäuden der Kriegszeit Platz gefunden, doch das spülte kaum Geld in die örtlichen Portemonnaies. Viele Familien im Ort lebten von der Bundeswehr, die 1965 die Kasernen übernahm.

Zu dieser Zeit bekam Hörnum endlich auch eine Verbindungsstraße, die den drolligen Namen »Straße der Höflichkeit« erhielt, weil sie so schmal war, dass bei Gegenverkehr immer einer höflich ausweichen musste.

Es folgte die Stilllegung der Inselbahn im Jahre 1970, die man längst als großen Fehler erkannt hat, aber wenn man bedenkt, wie günstig damals Benzin war und wie marode das Schienennetz, versteht man die Hauptargumente für den Abbau der Anlagen.

Schwer zu akzeptieren ist in dieser Zeit für manch einen Hörnumer die Veränderung der Dünenlandschaft. Zum einen verliert der Ort durch Sturmfluten, insbesondere im Jahre 1962, gewaltige Areale. Aber schwerwiegender sind die Naturschutzmaßnahmen im Inselsüden, die nun regeln, dass man auch als Einheimischer nicht mit dem Hund quer durch die Landschaft laufen darf. Auch nicht, wenn man das schon seit gefühlten 100 Jahren tut.

Als die »Schutzstation Wattenmeer« 1974 die ehemalige Kirchenbaracke bezieht, in der der Verein im Übrigen noch heute ansässig ist und wirklich engagierte Naturschutzarbeit leistet, war Ärger vorprogrammiert, denn zwei Welten knallten aufeinander.

Heute erregt das Thema »Naturschutz« zum Glück kaum noch die Gemüter im Ort. Längst haben die meisten begriffen, wie fragil die Umwelt und dass die umgebende Natur der größte Schatz der Gemeinde ist. Erheblich schwieriger ist das Thema Küstenabbruch, von dem der Inselsüden am stärksten betroffen ist.

Trotz regelmäßiger Sandvorspülungen ist seit Ende der 1960er-Jahre die Hälfte der Fläche der Hörnum Odde, das sind rund 90 Hektar, unwiederbringlich verloren gegangen. Was manch einen vielleicht fragen lässt: »Wie kann man denn an solch einer gefährdeten Stelle munter weiterbauen?«

Diesen Bedenken musste sich vor langer Zeit auch ein Sylter stellen, der küstennah ein Hotel plante. Sein Freund, der Bauunternehmer, legte ihm nahe: »Nann, lod dat noh, sünst steiht di'n Hotel in foftig Joarn nich mehr« (Nann, lass das bleiben, sonst steht dein Hotel in 50 Jahren nicht mehr). »Dat mokt goar nix«, antwortete Nann, »in foftig Joarn hät sick dat betahlt mokt« (Das macht gar nichts, in 50 Jahren hat sich das bezahlt gemacht).

Womit er natürlich recht behielt!

In Vergessenheit geraten ist wohl auch, dass der bekannte Ausspruch *Lewer duar üs Slaav* (Lieber tot als Sklave), den man auf vielen Friesenflaggen findet, seinen Ursprung in

Hörnum genommen hat. So kann man es jedenfalls in dem reichen Sagenschatz der Insulaner nachlesen.

Dieser Schlachtruf, der sich im 19. Jahrhundert als Kampfparole der Friesen etabliert hat und früher *Lewer duad üs Slaav* lautete (das moderne Friesisch ersetzt das »d« durch ein »r«), ist eng verknüpft mit der Sagengestalt von Pidder Lüng (der lange Peter), der einer Familie entstammte, die von einem ganz besonderen Freiheitsdrang beseelt gewesen sein muss. Er soll im 15. Jahrhundert gelebt haben.

Pidders Großvater soll sich mit den Worten »Lieber tot als Sklave der Priester« in der Kirche zu Eidum ein Messer in die Brust gerammt haben, die bildhübsche, tugendhafte Schwester seines Vaters stürzte sich mit den Worten »Dann lieber tot …« ins tosende Meer, um nicht in die Hände von schwedischen Seeräubern zu fallen, die sie durch die Dünen gejagt hatten.

Pidder Lüng wuchs in der südlichen Düneneinsamkeit der Insel auf, allein mit seinen Eltern, die von dem Ersparten leben konnten, das der Vater durch den Heringsfang vor Helgoland verdient hatte. Sie hielten sich von den Seeräubern fern, die von Zeit zu Zeit auf der südlichen Halbinsel campierten, und waren mit ihrem kargen Leben nicht unzufrieden. Doch dann schickte der dänische Amtmann von Tondern, Henning von Pogwisch, seinen Sohn mit einer bewaffneten Einheit auf die Insel, um angeblich ausstehende Abgaben einzutreiben. Als sie nun vor der ärmlichen Hütte von Pidders Familie anlangten, die gerade am Mittagstisch saß und sich ihren Grünkohl schmecken ließ, nahm das Unglück seinen Lauf.

Der vornehme Herr betrat den kargen Raum, ohne zu grüßen, und eröffnete die Konversation mit den Worten: »Wohnt hier das Gesindel, das Gott und der hohen Obrigkeit trotzt?« Pidders Vater versuchte noch Ausflüchte. Sie wüssten nicht, was er von ihnen wolle, außerdem seien sie anständige Fischersleute. Doch das war nicht die Antwort, die von Pogwisch hören wollte, und um seinem Auftreten Nachdruck zu verleihen, spuckte er in den Kohl der entsetzten Familie. Jetzt hielt es den sonst so ruhigen Pidder nicht mehr auf den Beinen. Jäh sprang er auf, griff sich den verdutzten Herrn und drückte dessen Kopf mit den Worten »Wer in den Kohl spuckt, soll ihn auch fressen« in das heiße Mittagessen. Leider etwas zu lange …

Mittlerweile hatten auch die Seeräuber die Abordnung des Amtmanns entdeckt. Mit getrockneten Rochenschwänzen schlugen sie die Steuereintreiber in die Flucht. Die Leiche expedierte man nach Rantum, dort konnten sie sich darum kümmern.

Dass die Rache nicht lange auf sich warten ließ, kann man sich denken. Pidder musste von der Insel flüchten und schloss sich mit den Worten »Lieber tot als Sklave« den Seeräubern an. Die Geschichte endet ohne Happy End, denn Pidder Lüng treibt es als Seeräuber allzu toll und hat bald auch keine Skrupel mehr, seine eigenen Landsleute, die Sylter, zu plündern.

Sein Schicksal ist der pfiffige Strandvogt von Westerland, der ihn in eine Falle lockt. Pidder Lüng wird, im Gegensatz zu seinem Kollegen Claus Störtebeker, nicht geköpft, sondern bei Munkmarsch gehängt. Noch heute heißt das Hünengrab, wo die Hinrichtungsstätte war, Galgenhügel.

Diese Geschichte wäre garantiert in Vergessenheit geraten, wäre nicht Friedrich Adolf Axel Freiherr von Liliencron, besser bekannt als Detlev von Liliencron (1844–1909), von den Sylter Sagen so begeistert gewesen, dass er 1891 ein Heldenepos, die Ballade »Pidder Lüng«, verfasste, in der er die Sage frei nachempfand:

Pidder Lüng

Der Amtmann von Tondern, Henning Pogwisch,
Schlägt mit der Faust auf den Eichentisch:
»Heut fahr ich selbst hinüber nach Sylt
Und hol mir mit eigner Hand Zins und Gült.
Und kann ich die Abgaben der Fischer nicht fassen,
Sollen sie Nasen und Ohren lassen,
Und ich höhn ihrem Wort:
Lewwer duad üs Slaav.«

Im Schiff vorn der Ritter, panzerbewehrt,
Stützt sich finster auf sein langes Schwert.
Hinter ihm, von der hohen Geistlichkeit,
Steht Jürgen, der Priester, beflissen, bereit.
Er reibt sich die Hände, er bückt den Nacken.
»Der Obrigkeit helf ich, die Frevler packen;
In den Pfuhl das Wort:
Lewwer duad üs Slaav.«

Gen Hörnum hat die Prunkbarke den Schnabel
gewetzt,
Ihr folgen die Ewer, kriegsvolkbesetzt.
Und es knirschen die Kiele auf den Sand,
Und der Ritter, der Priester springen ans Land,
Und waffenrasselnd hinter den beiden
Entreißen die Söldner die Klingen den Scheiden.
Nun gilt es, Friesen:
Lewwer duad üs Slaav!

Die Knechte umzingeln das erste Haus,
Pidder Lüng schaut verwundert zum Fenster heraus.
Der Ritter, der Priester treten allein

Über die ärmliche Schwelle hinein.
Des langen Peters starkzählige Sippe
Sitzt grad an der kargen Mittagskrippe.
Jetzt zeige dich, Pidder:
Lewwer duad üs Slaav!

Der Ritter verneigt sich mit hämischem Hohn,
Der Priester will anheben seinen Sermon.
Der Ritter nimmt spöttisch den Helm vom Haupt
Und verbeugt sich noch einmal: »Ihr erlaubt,
Dass wir euch stören bei euerm Essen,
Bringt hurtig den Zehnten, den ihr vergessen,
Und euer Spruch ist ein Dreck:
Lewwer duad üs Slaav.«

Da reckt sich Pidder, steht wie ein Baum:
»Henning Pogwisch, halt deine Reden im Zaum!
Wir waren der Steuern von jeher frei,
Und ob du sie wünschst, ist uns einerlei.
Zieh ab mit deinen Hungergesellen!
Hörst du meine Hunde bellen?
Und das Wort bleibt stehn:
Lewwer duad üs Slaav!«

»Bettelpack!« fährt ihn der Amtmann an,
Und die Stirnader schwillt dem geschienten Mann:
»Du frißt deinen Grünkohl nicht eher auf,
Als bis dein Geld hier liegt zu Hauf!«
Der Priester zischelt von Trotzkopf und Bücken
Und verkriecht sich hinter des Eisernen Rücken.
O Wort, geh nicht unter:
Lewwer duad üs Slaav!

Pidder Lüng starrt wie wirrsinnig den Amtmann an.
Immer heftiger in Wut gerät der Tyrann,
Und er speit in den dampfenden Kohl hinein:
»Nun geh an deinen Trog, du Schwein!«
Und er will, um die peinliche Stunde zu enden,
Zu seinen Leuten nach draußen sich wenden.
Dumpf dröhnt's von drinnen:
»Lewwer duad üs Slaav!«

Einen einzigen Sprung hat Pidder getan,
Er schleppt an den Napf den Amtmann heran
Und taucht ihm den Kopf ein und läßt ihn nicht frei,
Bis der Ritter erstickt ist im glühheißen Brei.
Die Fäuste dann lassend vom furchtbaren Gittern,
Brüllt er, die Türen und Wände zittern,
Das stolzeste Wort:
»Lewwer duad üs Slaav!«

Der Priester liegt ohnmächtig ihm am Fuß;
Die Häscher stürmen mit höllischem Gruß,
Durchbohren den Fischer und zerren ihn fort,
In den Dünen, im Dorf rasen Messer und Mord.
Pidder Lüng doch, ehe sie ganz ihn verderben,
Ruft noch einmal im Leben, im Sterben
Sein Herrenwort:
»Lewwer duad üs Slaav!«

Diese Verse mussten unzählige bedauernswerte Schüler auswendig lernen, und so vermutlich auch der bei Hamburg geborene Musiker Achim Reichel, der das Gedicht auf seinem 1978 veröffentlichten Album »Regenballade« als Rocksong vertonte. Was Pidder Lüng wohl sagen würde, wenn ihm das zu Ohren käme …

Rüm Hart, klaar Kimming

Biike

Biike, das ist – unschwer zu erraten – ein Begriff aus der friesischen Sprache und wird nicht wie das englische »bike« (Fahrrad) ausgesprochen, sondern mit lang gezogenem »i«. Übersetzt heißt das Wort auch Seezeichen, Feuermal und benennt einen Feuerbrauch, der angeblich weit in die Vorzeit zurückreicht. Ursprünglich war es ein heidnisches Fest zur Wintersonnenwende, um die bösen Geister zu vertreiben. Diese Bedeutung veränderte sich aber im Laufe der Zeit mehrmals.

In den Jahrhunderten, als Sylt von der Seefahrt lebte, genau genommen vom Walfang, war dieses Frühjahrsfeuer ein Teil der Abschiedszeremonie für die zur See fahrenden Männer. Die Walfänger verließen ab Februar die Insel. In diesem Zusammenhang war der darauffolgende Tag fast noch wichtiger, der Petritag, der vom Biikefest sozusagen eingeleitet wurde. Am Petritag wurde Thing gehalten. Interessanterweise gab es auf der Insel lange eine eigenständige

Rechtsprechung. Man hielt also eine Volksversammlung und Gerichtsverhandlung nach altem Recht ab (schon bei den Germanen *Thing* genannt), denn vor der Abreise der Männer mussten noch zahlreiche Angelegenheiten geklärt werden. Am Ende des Tages standen dann fröhliche Tänze.

Mittlerweile gibt es keine Walfänger mehr, und der einst bewegliche Termin des Festes ist seit dem 19. Jahrhundert auf den 21. und 22. Februar festgelegt.

Das Feuer entwickelte sich zu einem regionalen Festbrauch. Die Biike wurde auch Symbol für diejenigen Friesen, die im Zuge eines erwachenden Selbstbewusstseins auf ihre Rechte und Anliegen als Minderheit mit einer eigenen Sprache an der schleswig-holsteinischen Westküste aufmerksam machen wollten.

Die Biike hatte auch Bedeutung für das Gemeinschaftsgefühl, in dem die Konfirmanden eine wichtige Rolle spielten – vergleichbar mit Initiationsriten anderer Völker. Sie sammelten das Holz für das Feuer im Dorf, und jede Gruppe hatte das Ziel, die größte Biike der Insel zu stellen. So mussten in den Nächten davor die aufgeschichteten Holzhaufen bewacht werden, weil die jungen Leute gegenseitig versuchten, die Biiken der anderen vorzeitig in Brand zu stecken. Der Petritag (auf Sylt sagt man friesisch Pidersdai) wandelte sich zu einem Kinderfesttag. Wenn man heute mit alten Syltern spricht, gehört zu ihren schönsten Jugenderinnerungen der Petritanztag. Die Kinder erhielten Geld für Süßigkeiten (!), und manch eine strenge Erziehungsregel galt an diesem Tag nicht. Am Biikefeuer selbst durfte sogar in Anwesenheit der Erwachsenen geraucht werden. Noch heute haben die Kinder am Petritag schulfrei und verbringen einen gemeinsamen Tag mit Tanz und Spiel und neuerdings auch mit Sport.

Die Ursprungsidee ist seit Langem Geschichte. Längst wird die Biike vom örtlichen Tourismus vermarktet, um auch in der sonst ruhigen Zeit Gäste auf die Insel zu locken. Und das mit so großem Erfolg, dass kurioserweise sogar Fremdenverkehrsgemeinden an der Ostsee den nordfriesischen Brauch aufgegriffen haben. Einziger Wermutstropfen dieser erfolgreichen Marketingkampagne ist, dass der 21. Februar leider nur selten auf ein Wochenende fällt…

Standen die Insulaner früher in kleiner Gruppe am Feuer und waren fast unter sich, stürmen jetzt Tausende in Richtung der Feuerplätze. Schon der Weg zur Biike ist organisiert. Eine Musikkapelle zieht voraus, man trägt Fackeln, und am Feuer darf man mancherorts Bier- und Punschstände erwarten. Das hat mit den alten Bräuchen nichts mehr zu tun, ebensowenig wie das anschließende Grünkohlessen, erst seit den 1960er-Jahren eine Tradition. Positiv könnte man vermerken, dass die Biike ein »lebendiger« Brauch ist, der sich den gewandelten Bedürfnissen angepasst hat.

Schade ist, dass viele, die am Feuer stehen, die traditionellen Rituale nicht verstehen. Vor den Flammen werden Reden gehalten – eine auf Deutsch und eine auf Friesisch –, die meist ein akutes Problem der Inselpolitik zum Thema haben. Hier zuzuhören vermittelt durchaus Lokalkolorit. Vor allen Dingen, wenn dann gemeinsam das friesische Lied »*Üüs sölring Lön*« geschmettert wird. Die Sänger gehen mittlerweile jedoch im allgemeinen Trubel unter, weil kaum noch jemand, der hier steht, den Text beherrscht. Zu diesem Zeitpunkt brennt das Feuer längst, und im Zentrum der Flammen hängt eine Puppe oder ein Teerfass an einer langen Holzstange. Bevor diese Konstruktion in die Flammen stürzt, verlässt man das Feuer nicht. Eigentlich. Viele haben aber nachher noch einen Termin, eine Tischreservierung (Grünkohl!) im Restaurant, oder ihnen wird zu kalt, wenn's regnet, zu nass. Bevor sie das eigentliche Wesen der Biike begreifen, sind die meisten schon wieder im Warmen angekommen.

Meist haben nur die dazu verpflichteten Feuerwehrmänner das Vergnügen, die gesamte Biike – vom Anzünden über das Fallen der Tonne, bis endlich alles niedergebrannt ist – zu erleben.

Meine letzte Biike war grandios. Das Wetter war schlecht, die Tonne war um 22.30 Uhr immer noch nicht gefallen, dafür die meisten Zuschauer mittlerweile abgezogen. Am Feuer standen nur noch die netten Feuerwehrmänner und ein paar Insider, bewaffnet mit den unterschiedlichsten Heißgetränken in Thermoskannen. Eine Biike, sonst umlagert von mehreren Hundertschaften, gehörte einer Handvoll Syltern mit besonders hartnäckigen Gästen. Das werden mit Sicherheit alle, die dabei waren, in besonderer Erinnerung behalten. Und so sollte Biike eigentlich sein.

Friesenhaus oder Haus im Friesenstil

Was heute alles unter dem Begriff »Friesenhaus« läuft, ist kaum zu glauben.

Wenn man den insularen Immobilienanzeigen glauben darf, besteht die Sylter Bebauung wohl zu 80% aus Friesenhäusern. Um unter diese Rubrik zu fallen, braucht ein Haus offensichtlich nicht viel; Giebel und Reetdach reichen. Ach, was schreib ich, Reetdach ist gar nicht nötig – ein geklinkertes oder weiß getünchtes Haus mit einem in den Winkel geklemmten rachitischen Giebel und gedeckt mit Eternit-Schindeln, das tut es auch schon! Der Begriff »Friesenhaus« scheint einer Art galoppierenden Inflation anheimgefallen zu sein.

Dabei sind die Kennzeichen eines echten Friesenhauses, eines sogenannten »utlandfriesischen Hauses«, ganz einfach auszumachen. Nur, diese Attribute sind zur Zeit auf Sylt weder chic noch »in«, sie heißen nämlich: Bescheidenheit, Kleinheit, Schmucklosigkeit. Wer sich heute »Friesenhaus«neubauten auf der Insel ansieht, trifft fast nur noch die friesenbarocken Karikaturen ihrer Vorbilder, die mit ihren vielen Erkern, runden Gauben in Riesenformat und unechten Stallfenstern eher wie verkitschte Friesenhausmutanten wirken.

Dabei sind Friesenhäuser, wahrt man die Proportionen, wunderschöne Gebäude. Die historischen Vorbilder entstanden im »goldenen Zeitalter« der Insel, also vor rund 250 Jahren. Es sind durchdachte und ihrer Umgebung bemerkenswert angepasste Gebäude.

Die als Langhäuser angelegten Bauten waren grundsätzlich, mit nur wenigen Ausnahmen, mit der Schmalseite nach Westen und Osten ausgerichtet. Das hatte seinen Sinn, denn die Stürme, die in den Wintermonaten über Sylt hinwegfegen, kommen meist aus westlicher Richtung. Ihnen die Breitseite anzubieten, so dumm waren die Friesen nicht. Zusätzlich waren die meisten so findig, im westlichen Hausteil den Stall einzurichten. Die von den Tieren erzeugte Wärme diente als Puffer gegen den kalten Wind. Klar, dass das roch – aber bekanntlich ist noch niemand erstunken und so mancher schon erfroren.

In manchen Häusern erkennt man noch heute die Mauerungen der kleinen, ovalen Stall-»Fenster«. Es waren eher Luken, denn im 18. Jahrhundert war Glas noch ein Luxus und so teuer, dass sich die meisten mit offenen Löchern begnügten, die man »Windaugen« nannte. Im Dialekt heißt das dann *Windoog* und ist sprachlich eng verwandt mit dem englischen Wort *window* für »Fenster«.

Interessant an den alten Häusern ist ihre Gesamtkonstruktion. Sie sind Ständerhäuser, d. h. die gesamte Dachlast ruht nicht auf den Außenmauern, sondern auf einer inwendigen Holzkonstruktion, den sogenannten Ständern. Diese senkrechten Pfosten sind in regelmäßigen Abständen von etwa vier Metern gesetzt. Der dazwischenliegende Raum wird Fach genannt. Das Fach diente übrigens früher auch als Besteuerungsgrundlage: Wer viele Fächer hatte, wohnte in einem großen Haus und zahlte darum mehr als der Besitzer einer armen Kate.

Zwei parallele Ständerreihen laufen längs durchs Haus. Auf ihnen ruhen die Deckenbalken, die wiederum das Dach mit den Holzsparren tragen.

Auch hierfür gab es gute Gründe. Friesenhäuser waren häufig von Überflutung bedroht. Stieg bei einem Sturm das Meer so hoch, dass es das Haus erreichte, hielten die Außenmauern dem Druck der Wassermassen und der Brandung meist nicht stand und brachen weg. Die Hauskonstruktion selbst jedoch konnte den Sturm häufig relativ schadlos überstehen, da die Ständer dem Meer deutlich weniger Widerstand boten. Man brauchte dann später »nur« die Außenmauern wieder hochzuziehen.

Kurioserweise nahm das Meer zwar, gab aber auch. So hatte man den Fluten oft das Material zu verdanken, aus dem der Dachstuhl errichtet war. Da es auf Sylt kaum Bäume gab, nutzte man das Holz der gestrandeten Schiffe. Noch heute findet man in vielen alten Dachstühlen der Insel Schiffsmasten und -balken verbaut.

Die Außenmauern, die im Mittelalter noch aus Lehm oder Grassoden bestanden, ersetzte man im »Goldenen Zeitalter« durch teure, oft aus Holland eingeführte Klinker. Damals hieß es auf Sylt: »Rote Häuser sind reiche Häuser«, denn nur wer wohlhabend war, konnte sich die kostbare Importware leisten.

Wer wirklich reich war, ließ sich aus Holland auch noch bemalte Fliesen liefern, die sogenannten Delfter Kacheln, mit denen die Innenwände der Stuben verkleidet wurden. Das diente nicht nur der Verschönerung des Hauses, sondern die Glasur der Fliesen hemmte auch das Eindringen von Feuchtigkeit, das sonst bei den dünnen Wänden zum winterlichen Alltag gehörte.

Neben den Luxus-Fliesen spiegelte bei reichen Kapitänsfamilien auch die übrige Einrichtung den Erfolg des Hausherrn, aber auch seine Reiserouten wider. So fand man im Pesel, der guten Stube, nicht selten Tische aus England, Samoware aus Russland, Leuchter aus Holland und Geschirr aus China in freundlicher Nachbarschaft.

Einziger äußerer Schmuck des Hauses war oftmals eine reich geschnitzte Tür. Die wohl schönste in ganz Nordfriesland findet sich in Wenningstedt im Commandeur-Teunis-Haus am Dorfteich. Sein Erbauer wollte auf diese Art sicherlich zeigen, wie erfolgreich er war, denn die Tür stand als Sinnbild für den dahinter verborgenen Wohlstand.

Das Erbauungsdatum wurde oft in Form von Mauerankern schwungvoll im Giebel angebracht.

Wer mehr über schöne Friesenhäuser wissen möchte, sollte unbedingt das Heimatmuseum und das »Altfriesische Haus« besichtigen. Wer sich dort einer Führung anschließt, erfährt sogar noch, was die Redensarten »etwas auf die hohe Kante legen«, »einen Zahn zulegen« oder »auf den Hund gekommen sein« mit unserer Architektur zu tun haben.

Alles über Friesenwälle

Die Insel war früher von einer Kargheit, wie man sie nur noch aus den nördlichen Regionen Europas kennt. Der Wind fegte ungehindert über die Landschaft und wurde von keinen Wäldern oder Büschen gebremst. Das wenige Holz, das auf der Insel wuchs, war infolgedessen ein sehr kostbares Gut. Es zu nutzen, um daraus einen Gartenzaun zu bauen, wäre pure Verschwendung gewesen. Andererseits war es nötig, den Garten des Hauses – auch gegen die frei laufenden Schafe – abzugrenzen. So nahm man das, wovon man mehr als genug hatte, und das waren Steine. Nicht vom Meer, sondern vom Feld, wo man sie nach jedem Pflügen mühevoll einsammeln musste. Die Sylter waren wortwörtlich steinreich, was sie den Gletschern der vorletzten Eiszeit zu verdanken hatten, die das Material in den hiesigen Moränen ablagerten.

Die alten Steinwälle (die mittlerweile, warum auch immer, Friesenwälle genannt werden) waren kunstvoll gebaut. Auf alten Fotos erkennt man, dass die Steine nicht irgendwie aufeinandergelegt, sondern aufwendig geschichtet wurden, sodass Muster entstanden, die an Fischgrätmuster erinnern. Grassoden wurden wie Mörtel verwendet, und es gehörte nicht nur Kraft, sondern auch Kunstfertigkeit dazu, solch einen Wall zu bauen.

Da die Steinwälle als Gartenbegrenzung dienten, lagen sie im Ostteil der Häuser, weil die Gärten im Windschutz der Gehöfte angelegt waren. Ansonsten standen die Friesenhäuser komplett frei zu den Wegen, ohne jegliche Umzäunung. Die Sitte, rund ums gesamte Haus einen Friesenwall zu ziehen, ist eine neuere Mode und hat meiner Ansicht nach etwas mit den zweibeinigen Schafen zu tun, die anders nicht zu bremsen sind.

Längst werden die Wälle auch nicht mehr mit Feldsteinen gebaut. Dafür gibt es mittlerweile viel zu wenige Landwirte, die noch pflügen. Und selbst wenn noch jedes Sylter Dorf zehn Bauern hätte, würde das, was sie zutage fördern würden, nicht mehr ausreichen, um die Nachfrage zu befriedigen. Der ungebremste Bauboom auf Sylt hat natürlich auch Folgen für die Gartenarchitektur. Jeder will einen Friesenwall, und nicht nur das – die Ortsgestaltungssatzungen der Gemeinden erlauben auch keine Jägerzäune, Schmiedeeisengitter oder Drahthecken.

Die Folge ist, dass die Sylter Wallbauer die Steine importieren müssen. Tonnenweise werden sie aus Dänemark angeliefert. Und da die Dänen diese Steine nicht von ihren Feldern »ernten«, sondern oft vom Meeresgrund, sehen die neuen Wälle ganz anders aus, denn die Meersteine sind abgerundet.

Die heutigen Wallbauer legen Stein auf Stein. Den oberen Abschluss bildet eine Reihe Grassoden. Bepflanzt wird der Wall zumeist mit der unverwüstlichen Rosa Rugosa, besser bekannt als Kamtschatka- oder Kartoffelrose. Auch hier unterscheiden sich die jetzigen Wälle vom Original. Bepflanzt waren die alten Wälle nicht. Es gibt sie noch vereinzelt, diese ursprünglichen Steinmauern, die eher etwas für Puristen sind, neu gebaute Wälle dienen dagegen – siehe oben – eher als Schutzwälle gegen Touristen.

Was bedeuten Namen auf »um«?

Schaut man sich eine Karte von Sylt an, stellt man fest, dass die »um«-Orte nur im Norden der Insel nicht zu finden sind. Auch Westerland hieß ursprünglich Eidum, sodass der ganze Rest der Insel, einschließlich der Ostdörfer, in einem sehr einheitlichen »um« daherkommt.

Diese Ortsgründungen datiert man in die Zeit von der späten Völkerwanderungszeit bis zum frühen Mittelalter. »Um« heißt übersetzt so viel wie »heim«, Rantum also »Heim von Ran«.

Dass die nördlichen Ortschaften nun Wenningstedt, Kampen, Braderup und List heißen, könnte man mithilfe der Sagen erklären. Glaubt man den seit Jahrhunderten erzählten Geschichten, dann gab es auf der Insel erbitterte Auseinandersetzungen zwischen Riesen und Zwergen. Vielleicht ist das der letzte Rest von Erinnerung an die Kämpfe, die hier stattfanden, als die Friesen einwanderten und auf eine einheimische Bevölkerung stießen, die ihren Platz nicht so einfach räumen wollte. Die Friesen (denen wir die »Um«-Orte zu verdanken haben) drängten die Ursprungsbevölkerung in den Norden der Insel ab, und auch wenn sich später beide Gruppen mischten, blieben doch die andersklingenden Ortsnamen hier bestehen. Kampen, auf Friesisch Kaamp genannt, wird mit »abgesteckte Feldflur« übersetzt. Aber vielleicht steckt auch das Wort »kämpfen« in dem Ortsnamen, denn hier sollen – so die Sage – die erbitterten Kämpfe stattgefunden haben, bei denen König Bröns den Tod fand und in einem der Hünengräber bestattet wurde, die heute noch am Kampener Leuchtturm zu finden sind.

Wie lange hält ein Reetdach?

Kommt darauf an. Diese Frage ist gar nicht so einfach zu beantworten, weil es eine Vielzahl von Faktoren gibt, die dazu beitragen, wie lange man an einer Dachdeckung aus Schilfstroh (das auch Reeth, Reth, Reith, Ried, Riet oder Rohr genannt wird) Freude hat.

Zum einen muss die Ausrichtung des Daches berücksichtigt werden. Der nach Südwest ausgerichtete Bereich wird in Hinblick auf Stürme stärker in Mitleidenschaft gezogen als die mehr windabgewandte Nordost-Seite, denn wenn ein Sturm über die Insel fegt, kommt er meistens aus West oder Südwest. Und steht ein reetgedecktes Haus direkt an der Westküste, unmittelbar dem Wettergeschehen ausgesetzt, hat es naturgemäß mehr auszuhalten, als wenn es windgeschützt in Morsum oder Keitum erbaut ist.

Entscheidend für die Haltbarkeit des Naturmaterials Reet sind aber andere Faktoren. Zum einen die Neigung des Daches. Je steiler ein Dach ist, umso besser kann der Regen ablaufen, bei einer Dachneigung von 50 oder 55 Grad kann man davon ausgehen, dass man mindestens 30, vielleicht sogar 50 Jahre lang Freude an seiner Reet»mütze« hat.

Zum anderen kann das Reet selbst ganz unterschiedlich sein, denn die Zeiten, als es zu 100 % in Nordfriesland geerntet wurde, sind lange vorbei. Die Sylter Reetdächer sind sozusagen international, denn die Dachdeckereien importieren Reet aus Polen oder Schilfstroh, das am Platten- oder Neusiedler See wuchs, ebenso wie Reet aus dem ukrainischen oder rumänischen Donaudelta und sogar Reet aus China!

Dann gibt es langes und kurzes Reet – in diesem Falle gilt es, die richtige »Bindung« zu finden. Langes Reet muss in anderen Abständen am Dachstuhl fixiert werden als kürzeres. Kaum vorstellbar, aber auch ein Fehler in der Bindung entscheidet über die Haltbarkeit eines Daches. Eine Wissenschaft für sich, zumal Reet auch in unterschiedlichen Qualitäten daherkommt. Erfahrungsgemäß ist es am besten, wenn das Schilfstroh in ökologisch gesunden Naturräumen langsam wachsen durfte. Frost und kalte Winter sind für die Haltbarkeit ebenfalls förderlich.

Nun gibt es auf Sylt tatsächlich Gebäude, deren Reetdächer fast 100 Jahre alt sind. Dabei handelt es sich immer um historische Häuser, deren Dachstühle nicht als Wohnraum ausgebaut waren.

Betritt man solch einen Bodenraum, dann kann man das Schilfstroh auch von seiner Unterseite sehen, denn keine Folien, Rigipsplatten oder anderes Dämmmaterial versiegeln den Dachstuhl, das Reetmaterial wird ideal hinterlüftet. Es gibt keine Feuchtigkeit oder Wärme, die sich staut und dem Schilfstroh von innen zusetzt. Da diese Dächer auch keine Gauben (Fensteröffnungen) haben, ist die Haltbarkeit im Schnitt erheblich höher. Denn das Reet, das die

Dachgauben bedeckt, liegt flacher, sodass der Regen nicht so schnell abfließen kann.

Das Moos, das man vermehrt auf den Dächern findet, hat sein immer häufigeres Auftreten dem erhöhten Nährstoffgehalt der Luft und ihrer zunehmenden Verschmutzung zu verdanken, auch wenn die Verhältnisse auf Sylt nicht mit denen in Ballungsräumen zu vergleichen sind. Und Moos ist auch nicht gleich Moos – wenn sich dicke Polster gebildet haben, kann das darunterliegende Reet kaum noch abtrocknen und zerfällt schneller. Das Moos abzuharken, oder wie man sagt »das Dach bürsten«, ist ebenfalls nicht immer eine Lösung, denn dabei trägt man ungewollt große Mengen Reetmaterial mit ab. Und das wiederum bedeutet, die Dachauflage wird immer dünner, und irgendwann stellt der Reetbelag keinen ausreichenden Wetterschutz mehr dar.

Die Arbeit der Reetdachdecker ist reines Handwerk, manchmal könnte man sogar von Kunsthandwerk sprechen, so aufwendig werden manche Häuser gebaut. Das hat natürlich seinen Preis, ein verlegter Quadratmeter Reet auf Sylt kostet inklusive Material um 100 Euro, mal mehr – mal weniger.

Wenn Sie in den Dörfern unterwegs sind, ist die Chance, Reetdachdeckern bei ihrer Arbeit zusehen zu können, recht hoch. Sie werden feststellen, dass das frische Reet, wenn es aufs Dach kommt, einen goldenen Ton hat. Daran sind die neu eingedeckten Reetdächer leicht zu erkennen. Es dauert allerdings nur kurze Zeit, nach einem Jahr hat sich das einst »goldene« Dach den üblichen Grauton zugelegt.

Ein Reetdachdecker beginnt immer von unten, von der Traufe her, das Dach einzudecken. Von hier aus arbeitet er sich langsam nach oben, indem er das Reet sozusagen am Dachstuhl »festnäht«. Hat man früher dafür Rooper benutzt, ein aus Dünengras gedrehtes Seil, oder später auch Kokosfaser, sind es heute aus Feuerschutzgründen Drähte, mit denen man das Schilfstroh fixiert. Als oberer Dachabschluss werden auf Sylt wahlweise Heidesoden oder Grassoden verwendet, die als Firstabdeckung dem Reetdach erst das richtige Gesicht geben. Wer sich für Grassoden entscheidet, kann mit Glück ein blühendes Wunder erleben. Denn wenn die frisch verlegten Grassoden im Frühjahr aufs Dach kommen, genügend Feuchtigkeit erhalten und die manchmal im Soden befindliche Saat aufgeht, dann kann auf dem Dach ein kleiner Blumenteppich wachsen. Aber auch ohne Blumengarten auf dem First – Reetdächer sehen einfach heimelig und gemütlich aus.

Ob man sich für ein Reetdach, ein sogenanntes Weichdach, entscheidet oder lieber mit Hartdach baut – oftmals wird diese Entscheidung auf Sylt in den Ämtern gefällt, denn die meisten Sylter Ortschaften haben strenge Ortsgestaltungssatzungen. So ist es in Kampen oder Keitums historischem Dorfzentrum rechtlich geregelt, dass es zu Reet keine Alternative gibt. In anderen Bereichen darf Reet gar nicht verwendet werden, weil beispielsweise die Mindestabstände zum Nachbarhaus nicht eingehalten werden können, was bei Feuer zu einer Katastrophe führen könnte.

Denn so schön ein Reetdach auch ist, im Brandfall geht der Dachstuhl, insbesondere in den trockenen Sommermonaten, natürlich erheblich leichter in Flammen auf als ein hart gedecktes Dach. Und das ist der Grund für ein weiteres Kennzeichen der typischen Friesenhausarchitektur – der Giebel über der Tür.

In früheren Zeiten, als es noch keine Feuerwehren gab, blieb den Bewohnern nur die Flucht. Da Reet im Brandfall nicht nur gut brennt, sondern in diesem Zustand vom Dach rutscht, konnte der Giebel Leben retten, denn er lenkte das brennende und vom Dach fallende Reet links und rechts der Eingangstür ab. Das Haus war meist verloren, aber die Bewohner konnten oft noch entkommen. Interessanterweise ist der Bau des Giebels, der früher sehr aufwendig war, vom dänischen König befohlen worden. Er wollte seine Untertanen lieber lebend. Vermutlich weniger, weil er die Friesen so liebte, sondern weil nur ein lebender Friese Steuern zahlen konnte …

Vogelkojen

Nein, Vogelkojen sind keine kleinen Betten für Vögel! Sie sind vielmehr mörderische Fanganlagen, um Entenvögel, die im Frühjahr und im Herbst, in Zeiten des Vogelzugs, die Insel überfliegen, in großer Anzahl zu erlegen. Eine äußerst trickreiche Erfindung, die man im 18. Jahrhundert den Niederländern abgeschaut hat und die seit knapp 100 Jahren glücklicherweise nicht mehr benutzt wird. Heute stehen von den einst drei Kojen noch zwei, und zwar unter Naturschutz. Die Kampener Vogelkoje wird beispielsweise vom Heimatverein *Söl'ring Foriining* betreut. Wer sie besucht, wird erfahren, wie intelligent das Prinzip funktionierte.

Erst einmal mussten die Sylter, bar jeglicher Flüsse oder sonstiger Gewässer, künstliche Teiche anlegen. Fernab der Dörfer, wo es still und einsam war. Diese idyllisch gelegenen quadratischen Wasserstellen suggerierten den erschöpften Entenvögeln am Firmament, »hier darfst du ausruhen«. Dass die Sylter damit Ruhe für immer und ewig meinten, konnte das arme Geflügel, das zum Landeanflug ansetzte, nicht ahnen.

Zu ihrer Freude waren die Vögel auf dem Teich nicht allein, sondern trafen auf andere Enten, offensichtlich einheimische. Und da man komischerweise immer glaubt, die Einheimischen müssten sich ja auskennen und alles besser wissen, vertraut man sich ihnen an, und so nahm das Schicksal seinen Lauf. Was die Wildenten nicht ahnen konnten, war, dass es sich sozusagen um Judas-Enten handelte, die als Verräter auf dem Teich lebten. Ihnen waren die Flügel gestutzt, was eine Flucht aus dem vermeintlichen Paradies unmöglich machte. Wer derart eingeschränkt ist, redet sich und anderen natürlich ein, dass es bei ihm zu Hause am schönsten ist, und so haben die Wildenten sich nichts dabei gedacht, wenn sie von ihren Sylter Artgenossen zum Essen eingeladen wurden.

Das Esszimmer lag aber abseits. Genau genommen gab es davon vier, die »Pfeifen« genannt werden und jeweils in den Ecken des künstlichen Quadrats lagen. Das sind sich immer weiter verschmälernde kleine Wasserwege, in die die Enten nun hineinschwammen, nicht ahnend, dass es sich um eine tödliche Sackgasse handelte. Die Kojenwärter hatten am Ende dieser Sackgasse einen köstlichen Futterplatz eingerichtet. Wenn eine Ente bis hierhin vorgedrungen war, gab es keine Rettung mehr. Der Kojenwärter konnte die Enten greifen, und bevor sie überhaupt merkten, dass irgendetwas nicht stimmte, hatte er ihnen schon den Hals umgedreht, was in der Fachsprache originell »ringeln« genannt wird. So wurden die Enten ohne großen Lärm ins Jenseits befördert. Eine nach der anderen, in manchen Jahren kam man auf über 25 000 Stück! Denn das Beste an der ganzen Sache war, dass der Mord völlig unbemerkt vonstattengehen konnte, weil der Futterplatz für die hinteren

Enten nicht einsehbar war. Sollte eines der Tiere doch Verdacht geschöpft haben, konnte es, einmal in der Fangpfeife drin, nicht mehr fliehen, denn Netze über dem Sackgassen-Esszimmer verhinderten einen Ausbruch nach oben oder in sonstiger Richtung, und zurück war ebenfalls ein Ding der Unmöglichkeit, weil der Gehilfe des Kojenwärters als böser Zerberus den Rückweg zum Teich versperrte. Damit war dann Ende im Gelände.

Da die Sylter diese Massen von Enten unmöglich alle selbst verspeisen konnten, lag der beabsichtigte Verdienst im Verkauf dieser Tiere auf das Festland. Ein gutes Zubrot für die Betreiber, denn der Kojenbetrieb war gemeinschaftlich organisiert.

Die Kojenwärter bekamen neben ihrem Lohn noch freien Entenbraten dazu. Der preußische Graf Adalbert von Baudissin besuchte 1864 die Insel und hat seinen bizarren Dialog über dieses Thema mit dem Kojenwärter, der bereits seit 31 Jahren diesen Dienst versah, der Nachwelt hinterlassen:

»›Wie viel Lohn bekommt Ihr?‹
›Achtzig Taler und freien Entenbraten.‹
›Freien Entenbraten? Wie viele esst Ihr denn?‹
›Vier, wenn sie aber zu fett werden, drei.‹
›Drei Enten? Wann? Jede Woche?‹
›Jeden Tag‹, antwortete der Wächter. ›Morgens tue ich eine in die Pfanne, mittags eine, und abends verschnabuliere ich zwei.‹
›Gott stehe mir bei‹, sagte ich, ›jeden Tag vier Enten!‹
›Wenn sie zu fett werden, nur drei‹, fiel er berichtigend ein.
›Ganz recht, jeden Tag vier, und wenn sie zu fett

werden, drei. Wie lange dauert der Fang jährlich?‹
›Drei bis vier Monate.‹
›Also esst Ihr jeden Herbst gegen vierhundert Stück Wildenten?‹
›Ja, so um vierhundert, ein paar mehr oder weniger!‹
›Das macht in einunddreißig Jahren zwölftausend Stück! Himmlischer Vater! Wie kann man zwölftausend Wildenten im Leibe haben, ohne Schwimmfüße und Federn zu bekommen!‹

Der Wächter maß mich mit einem souveränen Lächeln, schwenkte sein Räucherfass und schlug sich seitwärts ins Gebüsch. Der Kerl mit den zwölftausend Enten unter der Weste, vielleicht sitzt er in diesem Augenblick wieder vor der Pfanne und würgt seinen Entenbraten hinunter! Trotzdem wird er von vielen beneidet, und wenn von ihm die Rede ist, sagt einer zum andern: ›Ja, der kann wohl lachen! Der Kerl hat freien Entenbraten und kann essen, so viel er will!‹

Aber ich – nie wieder Entenbraten!«

Wanderdünen und Dünenwanderer

Im ersten Jahr meiner Selbstständigkeit als Gästeführerin erhielt ich die Anfrage eines Wander(!)vereins aus dem Süddeutschen, der gern einen Ausflug mit mir durch die Dünen machen wollte. Den Mitgliedern war sonnenklar, dass das auf ihrer Karte mit »Wanderdünengebiet« bezeichnete Nordsylt ein Wanderareal war. Eigentlich hatten die Herrschaften den Namen logisch umgesetzt, und mir wurde erstmals bewusst, wie irreführend die Bezeichnung ist.

Die Insel Sylt hat heute noch drei Wanderdünen oder sogenannte Weißdünen, deren Betreten allerdings aus Naturschutzgründen strengstens untersagt ist. Sie sind der letzte Rest einer Dünenkette im Westen der Insel, die einst so gut wie ausschließlich aus wandernden Dünen bestand. Wobei die Düne selbst genau genommen gar nicht wandern kann, sondern der Wind als Motor für dieses Phänomen verantwortlich ist. Er, der beständig meist aus Westen weht, verbläst die Sandkörner der Dünen ostwärts. Die Düne schüttet mithilfe des Windes sozusagen ihr Sandmaterial in östliche Richtung, und das scheint so, als würde sie durch die Landschaft »wandern«. In trockenen und windigen Jahren kann eine Düne locker 12 Meter schaffen. Das hatte früher dramatische Konsequenzen, wenn auf ihrem Weg Häuser, Kirchen oder Felder lagen, wie man es in der Geschichte von Rantum nachlesen kann.

Aus diesem Grund wurden die Dünen ab dem letzten Drittel des 19. Jahrhunderts – Sylt war preußisch geworden, und damit zogen Ordnung und effiziente Verwaltung ein – generalstabsmäßig bepflanzt. Man hatte erkannt, dass das Dünengras als einzige Pflanze in der Lage war, in der lebensfeindlichen Umwelt zurechtzukommen. Dünenpflanzer mussten Millionen von Setzlingen in den Sand bringen. Eine äußerst mühevolle Aufgabe, die aber erfolgreich war und das Erscheinungsbild der Insel gewaltig veränderte. Denn die Wurzeln des Dünengrases fixieren den Sand, sodass der Wind die Körner nicht mehr forttragen kann. Die Düne hört auf, eine Wanderdüne zu sein.

Botaniker haben herausgefunden, dass das Netz einer einzigen ausgewachsenen Dünengraspflanze eine Gesamtlänge von über 40 Kilometern erreichen kann. (Um keine Missverständnisse zu schaffen, nicht die Wurzeln *einer* Pflanze sind so lang, sondern alle ihre kleinen Wurzelausläufer zusammengenommen ...) Hat die Düne erst einmal einen »Pelz« aus Dünengras, ist sie längst zur Ruhe gekommen. Der einst strahlend weiße Sandboden wird, weil sich die ersten Pflanzen angesiedelt haben, langsam humoser und bekommt einen Grauton. Aus der jungen Weißdüne ist jetzt eine Graudüne geworden. Aber anders als bei uns Menschen ist Grau nicht das Endstadium, sondern als Düne hat man das Glück, sich zu einer sogenannten Braun- oder Schwarzdüne weiterentwickeln zu können. Das geschieht durch Bodenbildung, der Humusgehalt des Sandes nimmt zu, und nach ein paar Jahren können sich anspruchsvollere Pflanzen ansiedeln. Zuerst kommt der Strandroggen, dann später Heidepflanzen und Krähenbeere.

Wer heute durch den Süden der Insel fährt, wird fast ausschließlich auf Braundünen mit kräftigem Heide- und Krähenbeerenbewuchs treffen. Nur im Küstenbereich, wo der Wind die westlichsten Dünen weiterhin mit Sand »füttert«, finden sich die mit Strandhafer und -roggen bestandenen Graudünen. Eine botanische Regel besagt, je extremer der Lebensraum, umso weniger Arten finden sich, dafür jede Art in großer Menge. Und die Dünenlandschaft ist ein besonders feindlicher Lebensraum.

Was jedoch eine inselfremde Pflanze nicht im Geringsten daran hindert, sich hier breitzumachen. Die Rede ist von der Rosa Rugosa, auch Kamtschatka-Rose oder Kartoffelrose genannt. Diese mittlerweile allerorten auf Sylt vorkommende, in pink-rosa blühende Buschrose wurde vermutlich vor rund 100 Jahren angesiedelt, und das unverwüstliche Gewächs verhält sich in der Landschaft ähnlich wie die pazifische Auster im Watt oder die Fast-Food-Restaurants in den Städten. Sie alle verdrängen die einheimischen Gattungen, die von »Rechts wegen« hierhergehören. Das ist in den Dünen zum Beispiel die kleine, bezaubernde, weiß blühende Sylter Dünenrose, Rosa Spinosissima. Im Umfeld der Ortschaft List wird sie wohl 2030 verschwunden sein, weil die »Rosa Rigorosa« ihren Platz eingenommen hat.

Wer Grau- oder Braundünen nicht leiden mag, muss nur lange und oft genug (verbotenerweise) in den Dünen herumspazieren. Jeder Schritt verletzt die empfindsamen Pflanzen, die daraufhin über kurz oder lang absterben. Damit können ihre Wurzeln ihrer Aufgabe, den Sand zu halten, nicht mehr nachkommen, und der Wind hat ein leichtes Spiel. Die Sandauswehungen untergraben auch die Wurzeln der noch intakten Pflanzen, und bald ist der gesamte Bewuchs abgestorben, die Düne wird wieder zur Wanderdüne. Oder, um es mit Heraklit zu sagen, auch wenn der Sylt nicht kannte: »*Pánta chorei kaì oudèn ménei*«, »Alles bewegt sich fort, und nichts bleibt«. Wer also möchte, dass Sylt bleibt, kann damit seinen Beitrag leisten, dass er die Schutzgebiete der Dünen (und jede Düne steht unter Schutz) respektiert und sie lieber bewundert als bewandert.

Der Sylter als Wetterprophet

Zu einem der schwierigsten Unterfangen gehört meiner Meinung nach, sich ein realistisches Bild von sich selbst zu machen und zu erkennen, wie einen das Umfeld wahrnimmt. Man sieht sich ja selbst mit ganz anderen Augen als die Person gegenüber.

Manchmal frage ich mich, ob das Bild, das wir Sylter von uns haben, auch so ein Trugschluss ist. Sehen wir vielleicht in Wirklichkeit alle wie Wetterfrösche aus? Anders kann ich mir nicht erklären, dass die Gäste der Wetterprognose eines Sylters mehr Glauben schenken als Gunther Tiersch oder Sven Plöger im Fernsehen. Zugegeben, die irren sich auch mal, aber ich bezweifle, dass Sie mit der Antwort Ihres Vermieters oder Strandkorbwärters grundsätzlich auf der sicheren Seite sind.

Stellt man auf Sylt die berühmte Frage nach dem Wetter, so werden Sie garantiert fast immer dieselbe Antwort erhalten, nämlich, dass alles gut werden wird. Jede andere Antwort wäre aus Sicht der Insulaner kontraproduktiv. Schlecht gelaunte Gäste sind ein Albtraum.

Aber natürlich gibt es Wetterregeln, die jeder an der Küste interpretieren kann. Wind aus Südwest zum Beispiel. Haben Sie schon mal darüber nachgedacht, warum die flotte Kopfbedeckung der Seefahrer »Südwester« heißt? Genau, die Dinger setzte man auf, wenn der Wind auf Südwest drehte. Aufziehendes Regenwetter kann man auch an den Wolken erkennen. Cirren heißen die kleinen zarten Federwölkchen, die einem meist verraten, dass ein Tiefdruckgebiet im Anmarsch ist. Aber »meist« heißt nicht »immer« – und wie pflegte schon mein Klimatologieprofessor zu sagen? »Bei Frauen und Cirren, da kann man sich irren.«

Auf eines kann man sich allerdings verlassen, dass nämlich auf Sylt dem Regen sehr schnell wieder die Sonne folgt. Der Durchzug eines Tiefdruckgebietes kann auf der Insel lehrbuchmäßig beobachtet werden. Erst dreht der Wind auf Südwest, dann folgt der Regen, und wenn dieser durchgezogen ist, springt der Wind innerhalb kürzester Zeit auf Westnordwest, und das bedeutet große wunderschöne Cumuluswolken und dazwischen Sonne. Sonnenbrandwetter, denn der kühl-frische Wind täuscht darüber hinweg, dass die Sonne mit ungehinderter Kraft auf Ihren Luxuskörper strahlt. Bei nördlichen Winden ist die Luft so klar und rein, dass nichts die UV-Strahlung ablenkt und wieder zum Himmel zurückschickt. Sie trifft mit voller Wucht auf die Erde. Dazu das reflektierende Wasser, man sollte sich mit einem Lichtschutzfaktor unter 30 gar nicht aus dem Haus wagen.

Dieses Rückfront-Wetter hält so lange an, bis der Wind erneut auf Südwest dreht und alles wieder von vorn beginnt. Es sei denn, über Russland hat sich ein stabiles Hoch eingerichtet, das genügend Kraft hat, die Tiefdruckgebiete zu verdrängen, damit sie die weiter nördlich lebenden Europäer mit Niederschlägen beglücken. Dann hat Sylt manchmal wochenlang Ostwind, die Sylter verfallen in Depression oder kriegen Migräne, der Himmel zeigt sich jeden Tag in einem langweiligen Einheitsblau, und die Sonne scheint erbarmungslos vom Himmel. Die Nordsee ist plötzlich voller Quallen und plätschert vor sich hin wie ein Baggersee, die Allergiker fragen sich, ob ihr Arzt betrunken war, als er ihnen Sylt als Kurort empfahl, und die Gastronomen, die Außenterrassen haben, führen Freudentänze auf.

Wann geht Sylt unter?

Auch eine schöne Frage.

So schnell wird das nicht passieren. Ich verspreche Ihnen, dass Sie beruhigt Ihren nächsten Urlaub bei uns buchen dürfen und, wenn Sie das nötige Kleingeld haben, gern auch noch ein Häuschen kaufen können (es sollte nicht gerade direkt an der Abbruchkante stehen). Bis die Insel komplett verschwunden ist, werden noch viele Generationen hier ihre Zeit verbringen.

Aber die Landschaft der nordfriesischen Küste (und nicht nur die) wird sich durch den Meeresspiegelanstieg dramatisch verändern. Sylt wird im Laufe der kommenden Jahrhunderte immer kleiner werden und irgendwann ganz verschwunden sein. Wann das aber sein wird, vermag niemand vorherzusagen. Nur eines ist klar, wenn die bis zu 35 Meter über Normalnull (NN) aufragenden Geestkerne der Insel nicht mehr aus der Nordsee herausschauen, dann ist nicht nur Holland (knapp ein Drittel des Landes liegt unter NN), sondern sind sämtliche Niederungsgebiete, Flussmündungen und Hansestädte längst abgetaucht.

Die Berechnungen zeigen, dass das Abschmelzen des grönländischen Eises einen Anstieg des Meeresspiegels um sieben Meter zur Folge haben würde. Ein vergleichsweise harmloser Wert, wenn man sich vor Augen führt, dass ja auch die Gletscher der Antarktis abschmelzen, und wenn dann das gesamte Eis beider Pole zu Wasser geworden ist, haben wir einen Gesamtanstieg des Meeresspiegels von voraussichtlich 60 Metern. Fatal daran ist, dass nicht nur das schmelzende Eis den Meeresspiegel so stark steigen lässt, sondern das sich erwärmende Meereswasser selbst dehnt sich aus und trägt zu 50% zu diesem Anstieg bei, zurzeit rund drei Millimeter pro Jahr. Das hört sich lächerlich an, ist aber in Wirklichkeit eine Katastrophe. Vorsichtige Schätzungen gehen davon aus, dass im Jahre 2100 der Meeresspiegel bereits 50 Zentimeter höher liegen könnte.

Das heißt, die Bemühungen, die Insel durch Sandvorspülungen zu halten, sind kurzfristig sinnvoll, langfristig aber völlig bedeutungslos. Dabei hat man im Küstenschutz schon sehr viel dazugelernt. Hat man früher starre Bauwerke wie Buhnen an den Strand gesetzt, um den Abbruch zu verlangsamen, ist man längst zu einer »weichen« Methode übergegangen. In der Erkenntnis, dass die Naturgewalten an der Küste stärker sind als jedes hier mögliche Bauwerk, versucht man heute, das Sanddefizit (also die Menge Sand, die vom Meer unwiederbringlich fortgerissen wird, nämlich pro Jahr rund eine Million Kubikmeter) wieder aufzufüllen – mittels der sogenannten Sandvorspülung.

Wenn man im Sommer an der Westküste unterwegs ist, hat man gute Chancen, den Firmen, die den Sand zur Insel bringen, bei ihrer Arbeit zuzusehen.

Ein Spezialschiff, genannt Hopperbagger, pendelt dabei immer von Strandnähe zum Horizont hin und her. Wenn das Schiff draußen ist, lässt es eine Art Rüssel zum Meeresgrund ausfahren, der Sand ansaugt. Das muss man sich wie einen gigantischen Staubsauger vorstellen. Der vom Meeresgrund angesogene Sand wird ins Schiff gepumpt, und anschließend fährt es mit seiner kostbaren Fracht in Richtung Sylter Küste. Hier wird der Rüssel mit einem Rohrleitungssystem, das zum Strand führt, verbunden, und nun beginnt der Vorgang quasi rückwärts. Das Sand-Wasser-Gemisch wird aus dem Schiffsrumpf herausgepumpt und landet am Strand, wo der Sand mit Bulldozern verteilt wird. Das wiederholt man so lange, bis das Strandniveau einige Meter höher liegt.

Die dynamischen Prozesse an der Küste führen jetzt dazu, dass der Strand langsam wieder eingeebnet wird und der Sand durch Strömung nach Norden oder Süden verdriftet. Irgendwann landet er dann auf Amrum oder den nördlichen Sandbänken, wo er Sylt leider überhaupt nicht mehr hilft. Immerhin bleiben einige Sandkörner auf Sylt, denn der meist aus West wehende Wind ist ebenfalls nicht untätig und bläst sie ostwärts. So sind sie wunderbares »Futter« für die dahinter liegenden Dünen, die in den letzten Jahren erheblich an Höhe gewonnen haben. Viele Wohnungen haben dadurch schon den ersehnten Meerblick verloren, was manch einen Hauseigentümer dazu bewogen hat, in einer Nacht-und-Nebel-Aktion die Düne vor seinem Haus abtragen zu lassen. Was man besser nicht tun sollte …

Die Sandvorspülung muss regelmäßig wiederholt werden. Mit Glück hält das Sandpolster länger als sechs Jahre. Dann beginnt alles wieder von vorn. Aber die Sylter Küste, die in früheren Jahrhunderten pro Jahr im Westen durchschnittlich anderthalb Meter verlor – vor 8000 Jahren lag die Küste vermutlich zehn Kilometer weiter westlich –, ist seitdem fast unverändert.

An den Inselenden, insbesondere an der Hörnum-Odde, ist die Situation allerdings komplizierter. Dabei sind seit Beginn der Vorspülungen im Jahre 1972 bereits 40 Millionen Kubikmeter Sand vorgespült worden, die bummelig 160 Millionen Euro gekostet haben.

Ich ahne, was Sie jetzt denken: »Ganz schön viel Geld, damit die Sylter weiterhin Platz für ihre Strandkörbe haben!« Aber der Küstenschutz auf Sylt ist deshalb von so großer Bedeutung, weil nicht nur die Insel geschützt wird, sondern dadurch auch das dahinter liegende Festland. Sylt ist gewissermaßen ein Wellenbrecher für Nordfriesland.

Mit der Sandvorspülung kann man auf der Insel, wie gesagt, also für eine kurze Zeit größere Abbrüche verhindern.

Aber am Hauptproblem des Meeresspiegelanstiegs ändert das natürlich rein gar nichts. Und man sollte auch nicht die Folgen der Sandentnahme vom Meeresgrund unterschätzen, die noch gar nicht genauer untersucht wurden. Westlich der Insel entstehen, so denke ich jedenfalls, dort, wo der Sand entnommen wird, große Löcher oder weiträumige Mulden. 40 Millionen Kubikmeter sind ja kein Pappenstiel! Ich kann mir nur schwer *eine* Million Kubikmeter Sand vorstellen, aber es ist ungefähr die Menge, die Sie benötigen würden, um das große Westerländer Kurhaus am Strand fünfzehnmal mit Sand zu füllen.

Wir reden hier aber von *40 Millionen* Kubikmeter Sand, der westlich von Sylt fehlt. Es ist unmöglich, dass die Entnahme derartiger Mengen keinerlei Einfluss auf die Strömungsverhältnisse vor der Insel hat.

Mich erinnert das Vorgehen an die nordfriesischen Marschenbewohner des Mittelalters. Die haben den Torf ihrer

Landschaft abgestochen, getrocknet und dann verbrannt, um an das kostbare Salz zu kommen. Und dabei allmählich ihre Landschaft abgegraben. Kein Wunder, dass dann die über die Küste hereinbrechenden Sturmfluten nicht nur das sagenumwobene Rungholt zerstörten, sondern den Großteil einer einst blühenden Landschaft vernichteten, von der nur ein paar Halligen und die Inseln Nordstrand und Pellworm übrig geblieben sind.

Rüm Hart, klaar Kimming

Auf Sylt gibt es einen ganzen Wirtschaftszweig, der von Fahnenmasten und Flaggen lebt. Die schönsten (und schrecklichsten) Fantasieflaggen finden sich darunter, mittlerweile kann ja jeder Wimpel nach eigenen Vorstellungen herstellen lassen.

Meist geht es dabei aber um die Friesenflagge, die in Gelb (oben), Rot und Blau quer gestreift ist und in der Mitte einen Hering aufweist, das Sylter Wappentier. Zusätzlich finden sich in der oberen Hälfte dann die zwei Worte »Rüm Hart« und unter dem Hering »Klaar Kimming«.

Und das heißt bedauerlicherweise nicht »harter Rum und klarer Kümmel«.

»Rüm« bedeutet im Friesischen »Raum, geräumig, groß, weit«, »Hart« steht für Herz, zusammen also »weites Herz«. »Klaar Kimming« hingegen kann man mit »weite Sicht« oder »klarer Horizont« übersetzen.

Was die Friesen damit genau ausdrücken wollen, erschließt sich nicht auf den ersten Blick. Aber vermutlich wollen sie bekunden, sie hätten ein weites, menschenfreundliches Herz und einen ausgedehnten Gesichtskreis.

»Und was haben Sie auf Sylt erlebt?«

Gäste von A bis Z

Albers, Hans

»*Sylter Strand und Sylter Bad bleiben unerreicht. Ein einziger herrlicher Tag gleicht sieben unfreundliche aus.*« (1920)
Der Schauspieler Hans Albers (1891–1960) war in den 1920er-Jahren einige Male Gast des Hotels Miramar in Westerland.

Benn, Gottfried

»*Verehrteste, … ich bin braun wie ein Eichhörnchen, obschon dies Bild nicht gut auf mich passt.*« (1955)
Der Arzt, Dichter und Essayist Gottfried Benn (1886–1956) bereiste im Sommer 1955 die Insel, diese Zeilen, datiert mit »Westerland 19.8.1955«, schrieb er auf einer Postkarte an Astrid Claes.

Carmen Sylva

»Es ist ein wunderbares Land und man kann wieder jung werden dort.« (1901)

Carmen Sylva war das Pseudonym von Elisabeth zu Wied (1843–1916), seit 1881 Königin von Rumänien. Im Jahre 1888 verbrachte sie ihren Sommerurlaub in der Villa Roth in Westerland. Die Zeilen stammen aus einem Brief an Georg Sauerwein, der als größter Sprachgelehrter seiner Zeit galt; er beherrschte über 50 Sprachen.

Danella, Utta

»Ich bin nicht hier, um Partys zu feiern, sondern um zu arbeiten. Und mich von der Arbeit zu erholen.« (2001)

Die erfolgreiche Schriftstellerin Utta Danella (geb. 1924) verbringt ihre Sylt-Urlaube in Keitum. Ihren Durchbruch schaffte sie 1960 mit dem Sylt-Roman »Stella Termogen oder Die Versuchungen der Jahre«, erschienen bei Schneekluth.

Erichsen, Susanne

»Sonne, Strand und Nordsee. Lange einsame Spaziergänge in herrlicher Seeluft, die so hungrig macht.« (2003)

Susanne Erichsen (1925–2002), wurde 1950 auf Sylt zur Miss Schleswig-Holstein gekürt, wenige Wochen später gewann sie den Titel der ersten »Miss Germany« in Baden-Baden. Von der Presse wurde sie als »deutsches Fräuleinwunder« bezeichnet. Sie startete eine Modelkarriere u. a. in New York.

Franzobel

»Es ist schon gut, dass man hier ein bissl weg ist von der Welt. … Nur die vielen Nacktbader haben mich irritiert.« (2007)

mer 1930 mehrere Monate auf der Insel Sylt im »Haus Kliffende« in Kampen.

Overbeck, Fritz
»*Die Dünen sind hier sehr hoch und erstrecken sich stellenweise in bedeutender Breite bis ins Land hinein. Wenn man oben steht, meint man auf förmliche Gebirge herunterzusehen.*« (1903)
Der Maler Fritz Overbeck (1869–1909) gehört zum Worpsweder Künstlerkreis, er besuchte die Insel mehrere Male und wohnte immer in Wenningstedt.

Palucca, Gret
»*Die fantastische Landschaft in der großartigen Einsamkeit des Ellenbogens hatte es mir besonders angetan.*« (1988)
Gret Palucca (1902–1993) war eine der führenden Vertreterinnen des deutschen Ausdruckstanzes. 1924 reiste sie das erste Mal nach Sylt und blieb der Insel lebenslang treu.

Raddatz, Fritz
»*Sylt ist ein nicht enden wollendes, sich ständig erneuerndes kleines Wunder.*« (2006)
Der Feuilletonist, Literaturkritiker und Schriftsteller Fritz Raddatz (geb. 1931) offenbarte sich mit seiner Veröffentlichung »Mein Sylt« 2006 als Sylt-Liebhaber.

Suhrkamp, Peter
»*Von der Höhe des Morsumkliffs gegen Norden sieht man diesen Teil des Wattenmeers wie einen großen See mit weiträumigen Buchen und an dessen jenseitigem Ufer eine dunkle Bank mit einer Hügelkette darauf.*« (1943)
Peter Suhrkamp (1891–1959) kam durch die Ehe mit

der Schauspielerin Annemarie Seidel in den Besitz eines Häuschens in Kampen, das er nutzte, um seinen Autoren – wie Max Frisch – eine Auszeit auf Sylt zu ermöglichen.

Tank, Kurt Lothar

»Gesättigt von Sonne, müde geschlagen alle Glieder von den hohen Brandungswellen, die sich bei dem warmen und gleichmäßig starken Nordwestwind an den rostbraunen Buhnen schäumend brechen …« (1972)

Kurt Lothar Tank (1910–1978) war Literaturkritiker und Herausgeber der ersten Gerhart-Hauptmann-Biografie nach dem Krieg, 1972 erschien sein Buch »Sylter Sommer«.

Urlaubskommentar des Lesers:

....

....

....

....

....

Vogeler, Heinrich

»Ich habe viel an unsere schönen Tage auf Sylt gedacht … und an die feierlichen Abendstunden vor den Wellen am Meer.« (1907)

Aus dem Worpsweder Künstlerkreis reisten fast alle Mitglieder zum Malen nach Sylt, so auch Heinrich Vogeler (1872–1942) im Jahre 1900. Die Notiz stammt aus einem Brief an Mutter Petri.

Willemsen, Roger
»Im Frühjahr 1992 zeigte mir eine Freundin Kampen. Hängen blieb nur ein Stück Düne. Drei Jahre später nahm ich meine ganze Redaktion zum Betriebsausflug mit. Die jungen Frauen und halbstarken Männer galoppierten über die Sandbänke, wir Alten lagen zechend im Gras, schön war's.« (2003)
Roger Willemsen (geb. 1955) ist Publizist und Fernsehmoderator, 2003 bereicherte er den Kampener Literatursommer.

Zweig, Stefan
»Ich war ... in Westerland, Hunderte und Aberhunderte Kurgäste badeten heiter am Strand. Wieder spielte eine Musikkapelle ... vor sorglos sommerlichen Menschen.« (1942)
Der Schriftsteller Stefan Zweig (1881–1942) verbrachte im August 1922 in Westerland im Hotel zum Deutschen Kaiser seinen Urlaub, den er in seiner Autobiografie »Die Welt von gestern« erwähnt. Er emigrierte 1934 und nahm sich in Brasilien das Leben.

Dank

Die Arbeit an diesem Buch haben viele begleitet, bei denen ich mich aufs Herzlichste bedanken möchte.

Zuallererst bei meinem Mann, der in diesen Schreibtisch-Wochen komplett die Küche übernahm, was eine riesige Erleichterung war – in Hinblick auf meine Figur aber leider genau das Gegenteil bewirkte.

Meine Freunde haben mich in dieser Zeit ebenfalls reich beschenkt, auch wenn sie auf meine stets wiederkehrende Frage »Was würdet ihr denn für Tipps geben?« stumm wie die Fische wurden, mir ansonsten aber ihre tollsten Sylt-Geschichten erzählt haben, nur leider alle immer unter dem Vorbehalt, diese auf gar keinen Fall hier zu veröffentlichen.

Allen, die in dieser Gebrauchsanweisung namentlich genannt werden, möchte ich für ihr Einverständnis danken, auch wenn um manche Formulierung tagelang gerungen wurde.

Denjenigen, die sich prüfend und ergänzend über meine Texte gebeugt haben, fühle ich mich ganz besonders verbunden, weil sie mir ihre kostbare Zeit geschenkt haben.

Und ich möchte mich bei meinen vielen Gästen bedanken, die mir mit ihren zahlreichen Fragen unendlich viele Anregungen gegeben haben.

Schlussendlich gehört meiner Lektorin Bettina Feldweg ein großes Dankeschön für ihre Geduld und Nachsicht.

Den Lesern dieses Buches wünsche ich vergnügliche und erhellende Momente beim Lesen der »Gebrauchsanweisung für Sylt«. Und sollten Sie mir mitteilen wollen, wie Ihnen das Buch gefallen hat, freue ich mich über eine Nachricht über die Seite www.sylt-island.de.

PIPER

Holger Teschke

Gebrauchsanweisung für Rügen und Hiddensee

224 Seiten. Gebunden

Bädervillen und Leuchttürme, Schlösser, Katen und Herrenhäuser: Rügen und Hiddensee sind reich an Sehnsuchtsorten und Sagen. Der gebürtige Rüganer Holger Teschke spürt ihnen nach. Er begibt sich auf Caspar David Friedrichs Spuren, erzählt von alten Fischerlegenden und der Kultur der Ostseebäder. Er verrät, dass man einem Jasmunder gegenüber nie von Mönchgut schwärmen sollte. Warum ein Feuerstein mit einem kreisrunden Loch gegen Hexenschuss und den bösen Blick hilft. Was es mit dem Ruf Rügens und Hiddensees als Künstlerinseln auf sich hat – und mit der »Warmbierstube« und anderen Hochzeitsbräuchen. Warum Sie bei Kutterfischern einkaufen sollten. Wo man Feen und Unterirdischen begegnen kann. Und woran Sie echten Bernstein erkennen.

»Pflichtlektüre für alle Freunde der Insel.«
Ostseezeitung

01/2021/01/L